Le grand livre des
FLEURS COMESTIBLES

Jekka McVicar

Le grand livre des FLEURS COMESTIBLES

Photos de Derek St Romaine

Traduit de l'anglais par Madeleine Hébert

Guy Saint-Jean
ÉDITEUR

Ce livre est dédié à Mac, Hannah, Alistair et William,
en reconnaissance de leur patience et de leur affection.

CATALOGAGE AVANT PUBLICATION DE BIBLIOTHÈQUE ET ARCHIVES CANADA
McVicar, Jekka
Le grand livre des fleurs comestibles: comment cultiver et cuisiner les fleurs comestibles
Nouv. éd.
Traduction de: *Good enough to eat.*
Comprend un index.
ISBN 978-2-89455-237-7
1. Cuisine (Fleurs). 2. Floriculture. I. Titre.
TX814.5.F5M3814 2007 641.6'59 C2006-942081-5

Nous reconnaissons l'aide financière du gouvernement du Canada par l'entremise du Programme d'Aide au Développement de l'Industrie de l'Édition (PADIÉ) ainsi que celle de la SODEC pour nos activités d'édition.

Patrimoine canadien Canadian Heritage Canada SODEC Québec

Publié originalement en Grande-Bretagne en 1997 par Kyle Cathie Limited (sous le titre *Good Enough to Eat*),
122 Arlington Road, Londres, Angleterre, NW1 7HP

Traduction: Madeleine Hébert
Révision: Isabelle Allard
Conception graphique: Prue Bucknall
Infographie: Christiane Séguin

Dépôt légal – Bibliothèque et Archives nationales du Québec et Bibliothèque et Archives Canada, 2007.
ISBN 978-2-89455-237-7

DISTRIBUTION ET DIFFUSION
Amérique: Prologue
France: Volumen
Belgique: La Caravelle S.A.
Suisse: Transat S.A.

GUY SAINT-JEAN ÉDITEUR INC.
3154, boul. Industriel, Laval (Québec) Canada. H7L 4P7. (450) 663-1777. Courriel: saint-jean.editeur@qc.aira.com • Web: www.saint-jeanediteur.com

GUY SAINT-JEAN ÉDITEUR FRANCE
48 rue des Ponts, 78290 Croissy-sur-Seine, France. 01.39.76.99.43. Courriel: gsj.editeur@free.fr

Imprimé à Singapour

IMPORTANT

Ce livre contient des informations sur une grande variété de fleurs. Mais avant de cuisiner et de consommer quelque fleur ou plante que ce soit, assurez-vous de savoir si elle est comestible ou non. Nous vous recommandons aussi d'en essayer d'abord une toute petite quantité, afin de découvrir si une fleur ou une plante déclenche une réaction allergique ou toxique. Ni l'auteur ni l'éditeur ne peuvent être tenus responsables d'une telle réaction aux recettes, aux recommmandations et aux instructions de ce livre. L'utilisation de toutes plantes et fleurs, et de tous dérivés, est entièrement au risque du lecteur.

TABLE DES MATIÈRES

REMERCIEMENTS

Je tiens à remercier spécialement Dawn, pour son travail inspiré de styliste culinaire,
Derek, pour ses photos magnifiques, et Kyle, pour son audace.
Je suis très reconnaissante aussi à Anthea, pour sa présence au téléphone,
et à Mac, pour son soutien et son encouragement.

INDEX DES FLEURS
(NOMS COMMUNS)

INTRODUCTION

Mignonne, allons voir si la rose
Qui ce matin avait déclose
Sa robe de pourpre au soleil...
Pierre de Ronsard
(1524-1585)

Ma nature curieuse et mon habitude de supprimer les fleurs mortes ou flétries en me promenant dans ma ferme de fines herbes m'ont amenée à écrire ce livre. Au premier abord, cela peut sembler excentrique et même un peu dangereux de consommer des fleurs. Il faut faire tomber une barrière psychologique pour apprécier leur contribution à la gastronomie: au lieu de les considérer comme de simples objets décoratifs, il faut les voir comme des végétaux et tenter l'aventure de les manger une première fois. Vous découvrirez alors que les fleurs possèdent un goût et une texture uniques, et qu'on peut les savourer seules ou préparées avec d'autres aliments.

L'habitude de consommer des fleurs remonte très loin dans l'histoire. Les Romains et les Grecs mettaient des pétales d'œillet dans leurs plats. Depuis la nuit des temps, on utilise des fleurs d'oranger et des soucis des jardins dans la cuisine asiatique. En Chine, on consomme des lis depuis toujours. Dès le IVe siècle avant notre ère, les Perses consommaient des capucines. Les Incas vénéraient les tournesols et s'en servaient dans leurs cérémonies. On dit que, lorsque la reine Elizabeth I faisait de l'insomnie, elle prenait une tisane de lavande comme somnifère léger. Enfin, à l'époque victorienne, on ajoutait souvent des pétales de rose à certains desserts, et les violettes cristallisées étaient des friandises raffinées.

Je considère maintenant les fleurs d'une tout autre manière: j'admire leur beauté et leur parfum tout en me demandant dans quelles recettes les inclure. Quand la coriandre fleurit, j'utilise généreusement ses fleurs, dont le goût se rapproche de celui de ses feuilles, mais avec un côté sucré en plus. Elles sont délicieuses dans les salades ou comme garniture sur les champignons et le potage aux carottes.

Dans ce livre, je vous indique quelles fleurs sont faciles à se procurer et vous donne des conseils pour les cultiver en pots ou dans votre jardin. Je suggère aussi des recettes: certaines sont générales, comme les huiles, vinaigres et beurres de fleurs, et d'autres spécifiques à chaque plante, comme les cœurs d'artichauts avec fleurs de trèfle et concombre. Vous serez surpris de voir que la variété de saveurs, de textures, de formes et de couleurs des fleurs ajoute un cachet très spécial à ces préparations. De quoi inspirer les palais et les âmes les plus blasés.

Je vous recommande de bien lire aussi le guide de dégustation des fleurs. Vous y trouverez des conseils utiles sur les parties les plus savoureuses des fleurs et celles qu'il faut enlever. À la page suivante se trouve une courte liste de fleurs qu'il ne faut absolument pas consommer. Quand vous ne savez pas si une fleur est comestible, optez pour la prudence et n'en mangez pas.

FLEURS

Des pièces d'or jaune semées sur l'agate,
des piliers d'acajou supportant
un dôme d'émeraudes, des bouquets de
satin blanc et de fines verges de rubis
entourent la rose d'eau.
Arthur Rimbaud (1854-1891)

Achillea millefolium

ACHILLÉE MILLE-FEUILLE

❖

Vivace. Haut. 30-90 cm (1-3 pi). Petites fleurs blanches légèrement rosées qui poussent en grappes plates, de l'été jusqu'à l'automne (et même jusqu'à Noël dans les climats plus doux). Les feuilles vert foncé découpées sont très odorantes et peuvent être consommées en petites quantités.

Cette plante ancienne, empreinte de magie et de mystère, pousse à l'état sauvage dans les haies et produit beaucoup de fleurs au goût doux et agréable. Elles sont délicieuses dans les salades et certains plats de légumes. Il existe plusieurs hybrides, comme *Achillea* «Taygetea» et *Achillea clavennae* (l'achillée blanche, une plante moins haute). Les fleurs de ces plantes ressemblent à celles de l'achillée mille-feuille, mais seuls leurs pétales sont comestibles. Elles sont très décoratives dans une plate-bande ou une jardinière.

COMMENT CULTIVER

PAR SEMIS

Semez les petites graines en automne dans des caissettes ou modules préparés. Couvrez d'une pellicule de plastique ou d'une vitre et faites hiverner dans une serre ou un cadre de maraîcher. La germination au printemps peut être irrégulière.

PAR DIVISION

C'est une manière plus sûre de propagation. Divisez des plantes adultes au printemps ou au début de l'automne.

OÙ PLANTER

AU JARDIN

Choisissez-y avec soin un bon emplacement. L'achillée survit grâce à son rhizome rampant: on doit donc lui laisser assez d'espace pour s'étendre. Et il lui faut un sol riche pour bien se développer. Dans un sol pauvre, on obtiendra des achillées moins hautes et plus compactes, qui peuvent boucher un trou là où d'autres plantes ont de la difficulté à pousser. L'achillée est très accommodante et se contente d'un endroit moins irrigué, car elle résiste à la sécheresse.

EN POT

L'achillée ne pousse pas bien en pot, bien qu'on puisse obtenir de bons résultats avec les hybrides *Achillea* «Taygetea» et *Achillea clavennæ*. Pour ces deux plantes, il ne faut consommer que les pétales. Taillez après la floraison et n'arrosez que très peu durant l'hiver.

QUAND RÉCOLTER

Dès qu'elles s'ouvrent, cueillez les fleurs, soit pour les utiliser fraîches, soit pour les conserver dans l'huile ou le vinaigre (voir p. 142).

LA GASTRONOMIE

Toute la fleur de l'achillée mille-feuille peut être consommée après avoir été bien lavée. Séparez les grappes en fleurs individuelles. Pour obtenir un équilibre de saveurs, je n'utilise pas trop de ces fleurs entières. Dans une salade, je mets cinq fleurs entières et les pétales de dix autres, avec quelques feuilles (sans les tiges).

ATTENTION!

On ne doit manger que peu de ces feuilles, et jamais plus de trois fois par semaine. De plus grosses quantités peuvent causer des maux de tête et des vertiges. La cueillette des fleurs peut irriter légèrement la peau. Les femmes enceintes ne devraient pas en consommer.

SALADE DE CHAMPIGNONS, GERMES DE SOYA ET ACHILLÉES

pour 4 personnes

achillée mille-feuille: 5 fleurs entières, 5 jeunes feuilles et les pétales de 10 fleurs
350 g (12 oz) de petits champignons, tranchés fin
100 g (4 oz) de germes de soya, bien lavés
1 c. à soupe d'huile d'olive
1 c. à soupe de jus de citron
1 gousse d'ail, pelée et écrasée

Préparez les 5 fleurs tel qu'indiqué à la page précédente. Hachez très fin les feuilles, puis mélangez dans un saladier avec pétales de fleurs, champignons et germes de soya. Dans un petit bol, battez ensemble huile d'olive, jus de citron et ail. Versez sur la salade et touillez bien, puis décorez avec les fleurs entières.

TOMATES FARCIES AUX PIGNONS ET FLEURS D'ACHILLÉE

pour 4 personnes

4 grosses tomates
1 c. à soupe de beurre
1 c. à soupe d'oignon, haché fin
75 g (3 oz) de chapelure
1 œuf, battu
2 c. à soupe de pignons
sel de mer et poivre frais moulu
achillée mille-feuille: 1 c. à soupe de pétales et 8 fleurs

Coupez le dessus des tomates et évidez-les avec une petite cuiller. Placez à l'envers pour égoutter pendant la préparation de la garniture. Faites fondre le beurre dans une casserole et faites-y revenir les oignons, puis ajoutez chapelure et œufs. Quand le mélange commence à épaissir, incorporez pignons, sel et poivre. Laissez refroidir, puis ajoutez les pétales de fleurs. Farcissez les tomates de la garniture, déposez sur un plat de service et décorez avec les fleurs. Servez en entrée ou comme plat principal léger avec une salade verte.

Agastache fœniculum

AGASTACHE FENOUIL

Vivace. Haut. 60 cm (2 pi). Longs épis de fleurs mauves en été.
Feuilles à l'arôme d'anis.

Cette plante vivace à la vie courte a un goût délicieux. Ses épis mauves fleurissent tout l'été, attirant les abeilles et les papillons dans le jardin. Les fleurs, au parfum très discret, ont une saveur d'anis plus douce que les feuilles (plus souvent utilisées en cuisine). Elles accompagnent bien les salades, les légumes, les pâtes, les tartelettes et les pavlovas. Il existe aussi d'autres variétés intéressantes de cette plante: *Agastache rugosa* et *Agastache mexicana*. La couleur et la forme de leurs fleurs se rapprochent de celles de l'agastache fenouil.

COMMENT CULTIVER

PAR SEMIS

Semez les petites graines très écartées au printemps dans des caissettes ou modules protégés. Gardez à 18 °C (65 °F) pendant la germination.

PAR BOUTURAGE

Prenez-les sur les nouvelles pousses à la fin du printemps ou les rameaux coupés à la fin de l'été.

OÙ PLANTER

AU JARDIN

Cette plante s'adapte à la plupart des sols, mais elle préfère un terrain riche et humide en plein soleil. Transplantez-la au printemps quand le sol commence à se réchauffer et qu'il n'y plus risque de gel.

EN POT

Même si cette plante atteint environ 60 cm (2 pi) de haut, vous pouvez la cultiver en pot: elle est très jolie dans des pots de terre cuite.

QUAND RÉCOLTER

Il vaut mieux utiliser les fleurs fraîches. Comme la plante fleurit presque tout l'été, il est facile de les cueillir à mesure qu'elles s'ouvrent. On peut les prendre de l'épi sans enlever la sommité fleurie, ce qui détruirait la beauté de la plante. Conservez les fleurs dans l'huile, le beurre ou le vinaigre (voir p. 138). Si vous voulez les faire sécher, coupez l'épi de fleurs en entier avec une partie de la tige, ce qui facilitera le séchage (voir p. 146). Toutefois, en séchant, la fleur perd toute saveur et on ne l'ajoute alors à certains plats que pour sa couleur.

LA GASTRONOMIE

Déposez les fleurs sur la salade de fruits et garnissez-en la purée de pommes de terre, les oignons ou les carottes braisés et les plats de courge. Elles sont délicieuses ajoutées aux pâtes juste avant de servir.

À DROITE: ciabatta aux champignons (voir p. 17)

SALADE D'AGASTACHE FENOUIL

pour 4 personnes

1/2 laitue iceberg (batavia), tranchée
1/2 bette à carde, tranchée
1 endive, tranchée
agastache fenouil: 1 c. à thé de feuilles, hachées fin; 4 fleurs, hachées fin; 10 fleurs, enlevées de l'épi et divisées en segments individuels; 2 fleurs et 8 feuilles entières (pour décorer)

Vinaigrette

3 c. à soupe d'huile d'olive au thym (ou ordinaire)
1 c. à soupe de vinaigre de vin blanc
1 c. à thé de moutarde de Dijon
sel et poivre frais moulu

Mettez laitue, bette, endive et feuilles hachées dans un saladier. Ajoutez les fleurs hachées sur le dessus. Préparez la vinaigrette, versez sur la salade et touillez. Décorez en déposant les feuilles sur le pourtour du saladier et les fleurs entières au centre. Servez.

CIABATTA AUX CHAMPIGNONS

Ce pain délicieux est maintenant en vente dans les supermarchés. La photo de la page 15 en montre un, garni de champignons sautés et de fromage fondu, et décoré de fleurs d'agastache fenouil.

COURGETTES ET FLEURS D'AGASTACHE FENOUIL

pour 4 personnes

4 jeunes courgettes
agastache fenouil: 4 épis de fleurs, 6 feuilles, 4 c. à soupe de fleurs

Vinaigrette

4 c. à soupe d'huile d'olive
2 c. à soupe de vinaigre à l'estragon
sel et poivre frais moulu

Lavez les courgettes, plongez dans une casserole d'eau bouillante et cuisez 4 minutes. Égouttez et laissez refroidir. Coupez-les en deux, enlevez la chair molle au centre et réservez. Déposez les 8 demi-courgettes sur un plat de service. Hachez fin les feuilles et incorporez à la chair des courgettes, puis ajoutez les trois quarts des fleurs. Déposez la garniture dans les demi-courgettes et décorez avec les épis de fleurs et le reste des fleurs. Servez avec la vinaigrette.

CONSEIL

Les grappes de graines sont très jolies dans les arrangements de fleurs séchées.

Alcea rosea

ROSE TRÉMIÈRE

Bisannuelle. Haut. 1,2-2,5 m (4-8 pi). Fleurs simples en épis, ressemblant à celles de l'hibiscus, de différentes couleurs (rose, jaune, crème, blanc), de l'été au début de l'automne. Feuilles lobées arrondies, de texture rugueuse.

Ces belles du jardin étaient jadis si populaires qu'elles avaient leur propre classe d'exposition florale. De nos jours, malheureusement, on en voit beaucoup moins. Cependant, avec le nouvel engouement pour les jardins à l'ancienne, elles reviendront peut-être à la mode. Les fleurs sont délicieuses, avec une saveur florale délicate dont la description varie d'une personne et d'une fleur à l'autre!

COMMENT CULTIVER

PAR SEMIS

Plantez les graines au début de l'automne (dans une serre fraîche) ou encore au printemps. Pour faciliter la germination, assurez-vous que la température du fond est de 18 °C (65 °F).

PAR DIVISION

Divisez la plante après la floraison en séparant les têtes, tout en conservant un ou deux bourgeons et autant de racines que possible dans chaque touffe.

PAR BOUTURAGE

Prenez des boutures d'environ 2,5 cm (1 po) presque n'importe quand sur les pousses latérales de la racine principale. Empotez-les séparément, puis gardez à l'ombre jusqu'à l'apparition des racines. N'arrosez pas trop, sinon les boutures pourriront.

OÙ PLANTER

AU JARDIN

Au printemps après les dernières gelées, plantez au fond d'une plate-bande bien préparée en plein soleil, en ajoutant du terreau si le sol est pauvre. Espacez les plants de 60 cm à 1 m (2 à 3 pi). Il faudra peut-être les protéger au début et bien les arroser durant l'été. Une application de compost de fumier est utile lors de l'apparition des épis floraux. Après la floraison, on doit couper les épis à 15 cm (6 po) du sol. Dans les régions aux hivers rigoureux et humides, il faut déterrer les plantes et les mettre à l'abri. Mais il est souvent plus simple de commencer de nouveaux plants l'année suivante.

EN POT

Cela ne convient pas aux roses trémières, car elles sont trop hautes.

QUAND RÉCOLTER

Cueillez avec soin les fleurs quand elles s'ouvrent et utilisez-les tout de suite. On peut aussi les garder en coupant les tiges florales et en les mettant dans l'eau. Les fleurs seront ensuite séparées de la tige et préparées juste avant de servir.

LA GASTRONOMIE

Avant de consommer, enlevez les étamines et les parties vertes. Utilisez les fleurs fraîches dans les salades. Les roses trémières cristallisées (voir p. 142) sont superbes comme décoration de desserts. On peut aussi en faire un sirop délicat (voir p. 141).

CONSEIL

Attention à la rouille qui fait flétrir les feuilles et peut même tuer la plante. Enlevez et brûlez immédiatement les feuilles atteintes. Ne plantez pas près de la menthe, sinon la rouille va s'étendre.

SALADE DE ROSES TRÉMIÈRES, ENDIVES, ORANGES ET NOIX

pour 4 personnes
2 endives, lavées et séparées
6 oranges
25 g (1 oz) de noix, hachées
6 roses trémières, sans étamines
2 roses trémières entières (pour décorer)

Vinaigrette
200 ml (7 oz) de crème fraîche
4 c. à soupe d'huile d'olive
2 c. à soupe de jus de citron
sel et poivre frais moulu

Dans un saladier, mêlez l'endive au zeste râpé d'une orange. Pressez le jus de cette orange et réservez. Pelez les 5 autres oranges, puis coupez en tranches de 5 mm (1/4 po) d'épaisseur et mettez dans le saladier. Ajoutez les noix, couvrez et réfrigérez jusqu'au moment de servir. Pour la vinaigrette, battez ensemble crème fraîche et jus d'orange réservé, incorporez l'huile et ajoutez graduellement jus de citron, sel et poivre. Versez sur la salade et touillez bien. Mettez les fleurs et touillez délicatement. Décorez avec les fleurs entières et servez.

SALADE DE POIRES ET ROSES TRÉMIÈRES

pour 4 personnes
4 poires, sans cœur et tranchées (pelées, si désiré)
150 ml (3/4 t.) de jus de poire ou de raisin blanc
8 roses trémières, sans étamines
4 roses trémières entières (pour décorer)

Mettez les tranches de poires dans le jus de fruits, ajoutez les 8 fleurs et touillez. Déposez dans un plat de service et décorez avec les fleurs entières.

Allium schœnoprasum
CIBOULETTE

Vivace. Haut. 20 cm (8 po). Fleurs mauve rosé au printemps.
Les feuilles et les fleurs ont un léger goût d'oignon.

C'est la première fleur que j'ai mangée il y a plusieurs années. J'étais en train d'enlever les fleurs de la ciboulette, pour qu'elle pousse mieux, quand j'ai décidé d'en goûter. Je l'ai trouvée délicieuse. Depuis, j'en ai ajouté à plusieurs plats, des pommes de terre en robe des champs jusqu'à des salades de toutes sortes. D'autres variétés de cette plante sont aussi intéressantes: *Allium schœnoprasum roseum*, aux fleurs roses, et *Allium schœnoprasum* «White Form», aux fleurs blanches. Les deux sont comestibles et ont le même goût que les fleurs mauves, plus communes. Enfin, *Allium tuberosum* est une plante très différente et tout à fait délicieuse. Ses jolies fleurs blanches en forme d'étoile, au goût aillé délicat, ajoutent du piquant à plusieurs plats (surtout aux salades où la saveur de l'ail est appropriée).

COMMENT CULTIVER

PAR SEMIS

Semez les graines noires au printemps dans des caissettes ou modules bien protégés. Pour germer, il leur faut une température de 19 °C (65 °F). Ou alors attendez que le sol se réchauffe et semez dans le jardin en rangées ou en touffes.

PAR DIVISION

Divisez les touffes après quelques années et replantez dans le jardin en groupes de six à dix bulbes, en les espaçant de 15 cm (6 po).

OÙ PLANTER

AU JARDIN

Quand il n'y a plus risque de gel au printemps, plantez dans un terreau riche et humide à un endroit assez ensoleillé.

EN POT

La ciboulette y pousse bien si elle est placée dans la demi-ombre et non en plein soleil. Fertilisez avec de l'engrais liquide pendant la floraison.

QUAND RÉCOLTER

Coupez les fleurs (avec la tige) quand elles sont bien ouvertes et que leur couleur est encore vive. La ciboulette fleurit au début du printemps, pour les plantes adultes, et à la fin du printemps, pour les jeunes plantes. Si le temps n'est pas trop sec, ces dernières fleuriront aussi pendant l'été.

LA GASTRONOMIE

En plus des salades et des recettes ci-contre, les fleurs peuvent être utilisées pour décorer et relever plusieurs plats. Leur texture croquante relève la saveur d'une salade de tomates ou ajoute une note d'exotisme aux haricots verts. Et elles sont très jolies sur les avocats farcis.

SAUCE AU PAIN

Je sers cette sauce avec la dinde ou le poulet rôtis. Comme il n'y a pas de fleurs de ciboulette à Noël et qu'elles ne se congèlent pas bien, utilisez cette sauce à l'Action de grâces ou pendant l'été.

1 petit oignon, pelé
8 clous de girofle entiers
450 ml (1 t.) de lait
1/4 c. à thé de muscade moulue
75 g (3 oz) de chapelure non granulée
5 fleurs de ciboulette

Bien à l'avance, piquez l'oignon des clous de girofle et mettez dans une petite casserole avec le lait. Râpez un peu de muscade dessus et portez doucement à ébullition. Retirez du feu, couvrez la casserole et laissez infuser 2 heures ou plus. Au moment de préparer la sauce, enlevez l'oignon piqué de clous de girofle, ajoutez la chapelure et chauffez à feu très doux en remuant jusqu'à incorporation de la chapelure et épaississement de la sauce (environ 10 min.). Retirez du feu, ajoutez les fleurs de ciboulette et mélangez bien. Versez dans un plat chaud et servez.

GARNITURE AUX FLEURS DE CIBOULETTE POUR POMMES DE TERRE EN ROBE DES CHAMPS

On peut aussi utiliser cette recette comme trempette, avec du chou-fleur ou tout autre plat de légumes allant bien avec la ciboulette et la crème sure.

1 c. à soupe de ciboulette, hachée
140 ml (5 oz) de crème sure
6 fleurs de ciboulette, séparées en fleurettes individuelles
Quelques fleurs de ciboulette (pour décorer)

Mettez la ciboulette dans un bol, ajoutez la crème sure et mélangez bien. Incorporez les fleurettes de ciboulettes. Couvrez d'une pellicule de plastique et réfrigérez. Avant de servir, disposez les fleurs de ciboulette autour du bol.

CONSEIL
Plantez la ciboulette à côté des roses, pour prévenir les taches noires.

Aloysia triphylla

CITRONNELLE VERVEINE

Vivace semi-rustique à feuilles caduques. Haut. 1-3 m (3-9 pi). Minuscules fleurs blanches teintées de lilas, du début de l'été au début de l'automne. Feuilles pointues lancéolées vert moyen, à odeur de citron.

C'est la «Rolls Royce» des fines herbes. L'arôme de citron des feuilles, quand on les frotte, est inoubliable. Je vois souvent des personnes qui, ayant touché cette plante, respirent ensuite l'odeur de leurs mains avec un plaisir évident. Les fleurs sont petites et délicates, et poussent en petites pyramides. Mais ne vous laissez pas tromper par leur petite taille: leur goût citronné est aussi fort que celui des feuilles. Elles complètent bien les plats aux fruits (fraises, framboises, melons) et sont idéales dans les salades de fruits.

COMMENT CULTIVER

PAR SEMIS

Les graines ne germent que dans les climats chauds. Je n'ai réussi qu'une seule fois en Angleterre, en 1995. Semez-les assez écartées au printemps dans des caissettes ou modules protégés. Une température du fond de 15 °C (60 °F) facilite la germination.

PAR BOUTURAGE

On peut prendre des boutures sur les nouvelles pousses à la fin du printemps ou les rameaux coupés l'été.

OÙ PLANTER

AU JARDIN

Cette plante est originaire d'un climat chaud et humide; il faut la protéger du froid, du vent et des températures de moins de 4 °C (40 °F). Le sol doit être léger, tiède et perméable. L'endroit idéal est contre un mur orienté au sud. Émondez à l'automne et taillez au printemps pour lui garder sa forme.

EN POT

La citronnelle verveine pousse bien en pot, mais elle doit se reposer en hiver et perdre ses feuilles. Placez le pot dehors à un endroit ensoleillé et tiède, mais l'hiver, mettez-le dans une serre fraîche et arrosez très peu. Taillez la plante au printemps et à l'automne.

QUAND RÉCOLTER

Cueillez les fleurs pour les utiliser fraîches; elles sont si petites qu'elles se conservent mal. Cueillez les feuilles n'importe quand avant l'automne. Elles sèchent très vite et doivent être gardées dans un contenant hermétique.

LA GASTRONOMIE

Les fleurs et les feuilles sont parfaites pour les boissons, salades de fruits, gelées, gâteaux, farces, plats aux pommes et crèmes glacées maison.

CONSEIL

Si vous gardez cette plante dans une serre, attention aux araignées rouges. Quand vous en trouvez, traitez tout de suite avec du savon insecticide, en suivant le mode d'emploi.

SALADE DE CAROTTES ET CITRONNELLE VERVEINE

pour 4 personnes

6 carottes, lavées
citronnelle verveine: 2 c. à soupe de fleurs; 6 feuilles, hachées fin
1 c. à soupe de pignons

Vinaigrette

3 c. à soupe d'huile d'olive
1 c. à soupe de vinaigre de vin blanc
sel et poivre frais moulu

Râpez les carottes. Mélangez avec les fleurs et les feuilles de citronnelle verveine et les pignons. Préparez la vinaigrette en combinant les ingrédients. Versez sur la salade et touillez bien. Servez tout de suite.

GELÉE DE CITRONNELLE VERVEINE

Très facile à préparer, c'est un dessert superbe et délicieux.

pour 8 petites gelées

600 ml (2 1/2 t.) d'eau
10 feuilles de citronnelle verveine
1 sachet de gélatine (végétariens: 2 c. à soupe de poudre d'agar-agar)
jus de 1/2 citron
sucre au goût
2 c. à soupe combles de fleurs fraîches de citronnelle verveine

Faites bouillir l'eau, plongez-y les feuilles de citronnelle et remuez bien. Couvrez, retirez du feu et laissez infuser 10 minutes, puis filtrez et portez de nouveau à ébullition. Retirez du feu et saupoudrez la gélatine sur la surface, en remuant pour bien incorporer. Ajoutez jus de citron, sucre et 1 1/2 c. à soupe des fleurs. Mélangez et versez dans des moules à gelée. Parsemez le reste des fleurs sur le dessus. Réfrigérez pour faire prendre. Si vous voulez démouler les gelées, trempez d'abord les moules dans l'eau tiède. Décorez avec le reste des fleurs et servez.

Anethum graveolens

ANETH, FENOUIL BÂTARD

Annuelle. Haut. 60-150 cm (2-5 pi). Minuscules fleurs jaune verdâtre en ombelles, tout l'été. Belles feuilles vertes aromatiques.

Cette plante culinaire annuelle est bien connue pour ses feuilles, utilisées pour le gravlax, les harengs marinés et les plats de courges. Les graines se combinent bien avec les légumes et ont aussi un usage thérapeutique, comme antispasmodique. Par contre, on oublie souvent les fleurs, qui ont un goût d'aneth avec une pointe de menthe s'harmonisant bien avec les légumes, salades, pommes de terre, poissons, vinaigrettes, mayonnaises et marinades. Une autre espèce intéressante est *Anethum graveolens* «Fernleaf», une plante plus compacte qui produit beaucoup de feuilles. Ses fleurs sont identiques à celles d'*Anethum graveolens* et peuvent être utilisées de la même manière.

COMMENT CULTIVER

PAR SEMIS

Semez les graines au printemps dans des modules ou pots protégés. N'utilisez pas de caissettes afin de ne pas abîmer les racines lors de la transplantation. Il faut une chaleur de 19 °C (65 °F) pour la germination. Ou encore attendez à la fin du printemps, quand le sol se réchauffe, et plantez en terre dans des sillons peu profonds. Protégez du froid et des grosses pluies. Pour maintenir un bon approvisionnement, faites des semis successifs durant la saison.

OÙ PLANTER

AU JARDIN

Plantez dans un sol pauvre et perméable, à un endroit ensoleillé. Quand elles sont assez grosses pour être manipulées, éclaircissez les plantes pour les espacer de 20 cm (8 po). Souvent, les jeunes plants sont fragiles et ont besoin d'un tuteur pour les empêcher de s'effondrer. Protégez des limaces.

EN POT

Plusieurs croiront que j'ai tort d'affirmer que l'aneth peut pousser ainsi. Mais c'est très possible si on utilise un pot ou un bac assez grand et qu'on y sème directement les graines. Quand elles sont assez grandes, éclaircissez les plantules pour les espacer de 6 cm (2 1/2 po), plus près que dans le jardin. Taillez sans cesse pour favoriser la croissance des feuilles, mais, pour avoir des fleurs, soutenez avec un tuteur et cueillez les fleurs régulièrement. Pour un approvisionnement constant de feuilles et de fleurs, cultivez des plantes d'aneth à différents stages dans plusieurs pots.

QUAND RÉCOLTER

Cueillez les sommités fleuries entières quand elles sont jaunes. Séparez les fleurettes individuelles, que vous utiliserez fraîches ou congelées (voir p. 144). Elles se gardent quelques jours dans le bac à légumes du réfrigérateur. Ou bien préparez des conserves d'huile ou de vinaigre floral (voir p. 142), très utiles en cuisine.

LA GASTRONOMIE

Les fleurs individuelles sont minuscules et peuvent être consommées entières. Ajoutez une sommité fleurie entière à des cornichons, concombres et choux-fleurs marinés: le goût sera plus fort que celui de la feuille, mais plus doux et frais que celui des graines (voir vinaigres de fleurs, p. 142).

CONSEIL

Lorsque vous plantez l'aneth dans le jardin, évitez de le placer à proximité du fenouil pour ne pas corrompre la saveur des deux plantes.

TISANE DE FLEURS D'ANETH

La tisane de graines d'aneth est très connue, et elle est rafraîchissante et thérapeutique. C'est le cas aussi de la tisane de fleurs, qui a un goût encore plus délicat. On peut la servir tiède ou froide, ou encore comme boisson rafraîchissante d'été, avec une tranche de concombre.

donne 1 tasse

2 sommités fleuries entières, lavées et déposées dans une théière ou une tasse

Versez de l'eau bouillante, couvrez et laissez infuser 5 minutes. Pour décorer, vous pouvez ajouter un brin de fleurs d'aneth.

HARENGS MARINÉS AVEC LIME ET FLEURS D'ANETH

pour 6 personnes

6 harengs, ouverts et sans arêtes
6 grains de poivre
1 c. à thé de macis
2 grains de toute-épice ou myrte piment
1 clou de girofle
1 feuille de laurier
1 oignon, tranché fin
1/2 c. à thé de sucre roux (facultatif)
300 ml (1 1/4 t.) de vinaigre à l'aneth (voir p. 142)
jus de 1 lime
150 ml (3/4 t.) d'eau
sel de mer frais moulu
1 c. à soupe de feuilles d'aneth, hachées
2 c. à soupe de fleurs d'aneth, sans verdure
1 lime, tranchée fin

Préchauffez le four à 160 °C (325 °F). Demandez au poissonnier de préparer les harengs. Enroulez les poissons préparés de la tête à la queue et tassez-les dans un plat profond allant au four. Mettez épices et feuille de laurier dans une casserole avec oignon, sucre, vinaigre à l'aneth, jus de lime et eau. Ajoutez une pincée de sel et faites bouillir. Laissez refroidir, puis versez sur les harengs. Le liquide devrait tout juste les couvrir. Mettez au four 1 heure. Retirez du four, laissez refroidir, puis couvrez et réfrigérez. Avant de servir, parsemez le plat de feuilles d'aneth, disposez dessus les tranches de lime et décorez avec les fleurs.

Angelica archangelica

ANGÉLIQUE

Bisannuelle ou parfois vivace. Haut. 1-2,5 m (3-8 pi).
Fleurs très odorantes blanc verdâtre dans la seconde année, du printemps jusqu'à l'été. Feuilles vert vif profondément divisées.

Je n'oublierai jamais la première fois que j'ai vraiment remarqué les fleurs d'angélique. En marchant vers ma ferme, j'ai d'abord perçu un doux parfum, puis j'ai découvert qu'il provenait de plants d'angélique. Son arôme ressemble à celui du cerfeuil sauvage, auquel elle est apparentée. Le goût des petites fleurs est tout aussi excellent que leur parfum et complète bien les salades, plats de légumes, tartelettes et salades de fruits. Une autre espèce d'angélique qu'il vaut la peine de cultiver est *Angelica gigas,* aux magnifiques fleurs rouges automnales.

COMMENT CULTIVER

PAR SEMIS

Les graines de cette plante ne sont pas viables longtemps (environ trois mois). Pour obtenir la meilleure récolte, semez au début de l'automne dans des caissettes ou modules préparés (ou directement dans des pots) et laissez hiverner. Pour des graines plus vieilles que trois mois, placez quatre semaines au congélateur ou au réfrigérateur avant de semer.

OÙ PLANTER

AU JARDIN

L'angélique devient une superbe plante la deuxième année; plantez-la donc près d'un mur, à l'arrière d'une plate-bande profonde au sol riche. Elle n'aime pas les climats chauds et humides, et préfère l'ombre au milieu de la journée. Plantez à 1 m (3 pi) des autres plantes.

EN POT

Malgré sa taille, elle peut bien y pousser et j'en ai fait l'expérience pour une exposition. Il suffit de rempoter la plante dans un pot un peu plus grand à mesure qu'elle grandit, sans abîmer la racine pivotante. Il est temps de changer de pot quand la plante a besoin de beaucoup d'eau. Placez le pot dans l'ombre partielle et arrosez bien. Supportez avec un tuteur, si nécessaire.

QUAND RÉCOLTER

Cueillez les sommités fleuries au début du printemps, quand elles viennent d'ouvrir, et utilisez-les fraîches ou en conserve. Une des meilleures façons de les conserver est de faire un sirop floral (voir p. 141). Sa saveur rappelle celle de l'angélique confite.

LA GASTRONOMIE

On connaît bien l'angélique confite utilisée pour décorer les gâteaux et les friandises. Les fleurs ont un peu le même goût, mais plus doux. Elles accompagnent bien le fromage à la crème et la crème fraîche. J'en mets sur les sorbets au citron, à la lime ou à la mandarine. Mais mon sorbet le plus ambitieux, au goût très spécial, est préparé avec les tiges et les fleurs d'angélique.

ATTENTION!

On peut confondre l'angélique sauvage avec une plante toxique: **Oenanthe crocata,** l'œnanthe safranée (aussi appelée ciguë aquatique). L'angélique peut aussi irriter la peau: faites attention en la taillant ou en récoltant ses tiges.

CONSEIL

Une tisane de jeunes feuilles aide à diminuer le stress et les maux de tête dus à la tension.

SORBET À L'ANGÉLIQUE

pour 4 personnes
1 morceau de jeune tige fraîche d'angélique de 8-10 cm (3-4 po) de long, coupé menu
600 ml (1 1/4 t.) d'eau
250 g (1 t.) de sucre
3 c. à soupe de fleurs d'angélique
jus de 1/2 citron
1 c. à soupe de blanc d'œuf, en neige (facultatif)

Mettez tiges d'angélique, eau, sucre et 1 c. à soupe des fleurs d'angélique dans une petite casserole et amenez lentement à ébullition, en remuant de temps à autre pour faire dissoudre le sucre sans attacher. Faites mijoter environ 8 minutes ou jusqu'à amollissement des tiges. Filtrez le liquide, ajoutez le jus de citron et, si nécessaire, du sucre. Laissez refroidir avant de verser dans un plat de métal et de mettre au congélateur. Après 10 minutes, battez le sorbet au fouet ou à la fourchette. Répétez le processus jusqu'à ce que le mélange ressemble à de la glace fondante. Puis mélangez-y le blanc d'œuf et 1 c. à soupe de fleurs. Enfin, remettez au congélateur dans le même plat ou des plats individuels. Sortez le sorbet 10 minutes avant de servir et décorez avec le reste des fleurs.

SALADE TIÈDE AUX FLEURS D'ANGÉLIQUE

pour 4 personnes
4 petites laitues pommées
2 tranches de bacon de dos
1 carotte, hachée en dés
1 c. à soupe de fleurs d'angélique (sans pédoncules), hachées, et quelques-unes entières, pour décorer
1 oignon, haché en dés
300 ml (1 1/4 t.) de bouillon de poulet ou de légumes
1 c. à soupe de persil, haché

Préchauffez le four à 180 °C (350 °F). Lavez les laitues et mettez-les, entières, dans une casserole, puis couvrez d'eau froide et portez à ébullition. Retirez tout de suite du feu, égouttez et trempez dans l'eau froide pour raviver. Asséchez dans un linge.

Huilez un plat à four et disposez le bacon au fond. Parsemez dessus carotte, fleurs et oignon hachés. Déposez les 4 laitues dessus, puis versez le bouillon. Couvrez et mettez au four 45 minutes. Pour servir, placez les laitues sur un plat de service. Faites réduire le jus de cuisson des deux tiers et versez sur les laitues. Parsemez de persil et décorez avec les fleurs entières d'angélique.

Borago officinalis

BOURRACHE

❖

Annuelle. Haut. 60 cm (2 pi). Fleurs bleues ou mauves en forme d'étoile, au début de l'été. Feuilles ovales froissées à poils rugueux.

Les fleurs de bourrache sont très jolies et se prêtent à plusieurs usages. Leur goût, tout comme celui des feuilles, rappelle celui du concombre doux et accompagne bien le fromage à la crème, les tomates et les fruits. Les fleurs sont aussi très décoratives dans les salades et les crèmes. Il existe une bourrache à fleurs blanches, *Borago officinalis* «Alba», qui est de plus en plus populaire. Elle est aussi bonne en cuisine que la variété à fleurs bleues.

COMMENT CULTIVER

PAR SEMIS

Au début du printemps, semez les graines séparément dans des modules ou pots protégés. N'utilisez pas de caissettes, pour ne pas abîmer les racines lors de la transplantation. Dès qu'il n'y a plus risque de gel, plantez dehors en espaçant de 60 cm (2 pi).

OÙ PLANTER

AU JARDIN

La bourrache préfère un sol calcaire ou sableux pauvre et perméable, à un endroit ensoleillé. On peut même la semer directement dans la plate-bande dès que le sol commence à se réchauffer.

EN POT

Cette plante requiert un très gros pot. Elle pousse mieux avec d'autres plantes: plantez-la dans un demi-baril avec des fines herbes autour. Ainsi, elle aura assez d'espace pour croître, ne s'effondrera pas et sera très décorative.

QUAND RÉCOLTER

On peut congeler ces fleurs (voir p. 144), alors cueillez-les quand elles sont bien ouvertes. Les jeunes feuilles ne peuvent ni se congeler ni être séchées: récoltez-les à mesure et utilisez-les fraîches.

LA GASTRONOMIE

Ces fleurs bleutées sont magnifiques mélangées à une salade, cristallisées sur les gâteaux ou ajoutées aux soupes froides. Elles sont délicieuses avec le fromage cottage ou à la crème. Pour que les fleurs soient à leur meilleur, il est important d'enlever leurs pistils et étamines avant de les consommer. Ces parties sont faciles à identifier et comprennent tout le centre noir des fleurs.

CONSEIL

La bourrache est une bonne plante associée, ce qui a un côté positif et un négatif. Côté positif: elle attire les abeilles, ce qui favorise la pollinisation des autres plantes (si vous la plantez au bout d'une rangée de haricots, la production sera meilleure). Côté négatif: elle attire aussi les mouches noires, et il faut donc l'arroser avec un jet d'eau fort avant de récolter.

GLAÇONS À LA BOURRACHE

pour 4 personnes

1 bac à glaçons

1 fleur de bourrache par glaçon, sans pistils ni étamines

Déposez une fleur dans chaque compartiment du bac à glaçons. Versez assez d'eau pour remplir et mettez au congélateur. Lorsqu'ils sont prêts, retirez les glaçons et utilisez au besoin. Ils sont très jolis dans les boissons d'été et les salades de fruits.

CRÈME AUX GROSEILLES ET FLEURS DE BOURRACHE

Les groseilles peuvent être plus ou moins sucrées. Sucrez donc au goût.

pour 4 personnes

450 g (1 lb) de groseilles rouges ou vertes
sucre
200 ml (3/4 t.) de crème fraîche
2 c. à soupe de fleurs de bourrache, sans pistils ni étamines
12 fleurs de bourrache entières

Cuisez les groseilles dans une grande casserole avec 2 c. à soupe d'eau et un peu de sucre. Remuez de temps à autre. Lorsqu'elles sont tendres, fermez le feu et laissez refroidir dans la casserole. Goûtez et ajoutez du sucre, si nécessaire. Mettez les groseilles dans un robot de cuisine ou mélangeur et réduisez en purée. Versez la crème fraîche dans un grand bol. Mélangez-y la moitié de la purée de fruits et les fleurs préparées. Disposez la crème en couches dans quatre coupes, en alternant avec la purée de fruits. Décorez chaque coupe avec trois fleurs et réfrigérez avant de servir.

Calendula officinalis

SOUCI DES JARDINS

❖

Annuelle. Haut. 60 cm (2 pi). Capitules de fleurs composés, simples ou doubles, de couleur jaune ou orangée et au goût doux et amer. Fleurit du printemps aux premières gelées. Feuilles lancéolées vert pâle.

Cette joyeuse fleur annuelle, qui égaie les jardins et les pots où elle pousse, est utilisée en cuisine depuis très longtemps. Les Égyptiens ont été les premiers à en consommer, suivis des Arabes et des Indiens. Pour les Grecs et les Romains, ses pétales étaient le «safran des pauvres» qui aromatisait et colorait leurs plats. Plus récemment, on s'en servait pour jaunir le beurre.

COMMENT CULTIVER

PAR SEMIS

Semez les graines à l'automne dans des caissettes ou modules protégés. Ou bien attendez le printemps, quand le sol commence à se réchauffer, et semez dans le jardin en rangées ou en touffes, puis éclaircissez pour espacer à 30-45 cm (12-16 po). Si le climat est très chaud, il y aura moins de fleurs et les plantes s'étioleront. Supprimez les fleurs fanées pour encourager la floraison jusqu'à l'automne.

OÙ PLANTER

AU JARDIN

Les soucis sont des plantes très tolérantes, qui poussent dans tous les sols perméables et ensoleillés. Transplantez au printemps, quand le sol est réchauffé et qu'il n'y a plus risque de gel. À noter: cette annuelle disperse beaucoup de graines.

EN POT

Les soucis poussent bien en pot, avec d'autres plantes. Ils sont idéaux pour les jardinières de fenêtres, mais pas pour les paniers suspendus. Placez à un endroit ensoleillé ou semi-ombragé.

QUAND RÉCOLTER

Cueillez les fleurs à mesure qu'elles s'ouvrent à la fin du printemps et l'été, pour les utiliser fraîches ou pour faire sécher les pétales (voir p. 146). Ceux-ci se conservent dans un contenant hermétique foncé, placé dans un endroit frais et sec. Avant d'ajouter ces pétales à une recette, broyez-les pour en ranimer le goût et la couleur. On peut aussi les conserver dans du beurre ou de l'huile (voir p. 138).

LA GASTRONOMIE

Il est important d'enlever les pétales des fleurs et de n'utiliser qu'eux, car le centre a un goût très amer.

Utilisez les pétales dans les plats au fromage, les salades et les omelettes. Ils font aussi une très bonne tisane et, comme nous l'apprend l'histoire, constituent un très bon colorant alimentaire. Hachez les pétales très fin ou broyez-les avec pilon et mortier, puis ajoutez cette pâte aux plats de riz, au beurre ou à tout aliment que vous voulez colorer en jaune doré. Vous pouvez aussi préparer une huile colorée (voir p. 142) ou utiliser les pétales comme décoration.

CONSEIL

La sève, appliquée sur les verrues, les cors et les durillons, a la réputation de les faire disparaître.

CI-CONTRE: servez les scones aux soucis simplement avec du beurre, pour accentuer le goût des pétales.

SCONES AUX SOUCIS

donne environ 8 scones

450 g (1 lb) de farine
1 c. à thé de sel
1 c. à thé de bicarbonate de soude
45 g (1/2 oz) de beurre
300 ml (1 1/4 t.) de lait mélangé à
2 c. à thé de crème de tartre
2 c. à soupe de pétales de souci

Préchauffez le four à 220 °C (425 °F). Tamisez la farine dans un bol avec sel et bicarbonate de soude. Incorporez le beurre en frottant du bout des doigts, puis ajoutez lait, crème de tartre et pétales de fleurs. Mélangez bien pour obtenir une pâte homogène. Déposez-la sur une surface farinée, pétrissez doucement et étendez au rouleau à une épaisseur de 2 cm (3/4 po). Découpez les scones avec des emporte-pièce de 5 cm (2 po) et placez sur une plaque à four légèrement farinée. Mettez au four 12 à 15 minutes pour faire lever et dorer. Laissez refroidir sur une grille et dégustez!

SALADE DE RIZ ET PIGNONS

pour 4 personnes

2 c. à soupe d'oignon haché fin
1 gousse d'ail, pelée et écrasée
1 c. à soupe d'huile de tournesol
250 g (8 oz) de riz basmati,
rincé à l'eau froide
1 c. à thé de sel
2 c. à soupe de pignons
2 c. à soupe de pétales de soucis

Dans un faitout, faites revenir oignon et ail avec l'huile de tournesol, pour attendrir mais sans dorer. Ajoutez le riz, mélangez bien et versez dessus 600 ml (2 1/2 t.) d'eau bouillante et le sel, puis faites cuire pour attendrir le riz et faire évaporer l'eau. Laissez refroidir.

Faites griller les pignons sous le gril ou dans une poêle à frire (sans huile), pour colorer légèrement. Quand le riz est refroidi, ajoutez-y pignons et pétales de fleurs.

Servez froid avec des salades et des fromages.

Chamæmelum nobile

CAMOMILLE ROMAINE

Vivace. Haut. 15 cm (6 po). Fleurs en petites marguerites blanches, au centre jaune et à l'odeur de pomme. Feuillage aromatique, finement divisé.

La camomille est utilisée depuis des siècles, surtout en infusion (faite avec les fleurs). Elle est aussi très bonne avec les fruits et le fromage blanc ou à la crème. Il existe une certaine confusion quant à l'identification des différentes sortes de camomille. D'abord, il y a *Chamæmelum nobile* «Treneague», qui pousse près du sol, ne fleurit pas et ne se propage pas par semis, mais seulement par bouturage. Puis il y a *Chamæmelum nobile* «Flore Pleno», une plante très basse qui a des fleurs blanches doubles et des pétales comestibles. Enfin, il y a *Matricaria recutita,* la matricaire (ou petite) camomille, qui est une annuelle avec des fleurs blanches et des feuilles découpées odorantes (elle a un usage surtout thérapeutique; ses fleurs ont un goût peu ragoûtant).

CONSEIL

La camomille plantée près d'une plante malade peut aider à la raviver.

COMMENT CULTIVER

PAR SEMIS

Semez les graines sur la surface de caissettes ou modules préparés. Couvrez de vermiculite. Si vous semez à l'intérieur quand il fait encore froid, il faut une température de fond de 19 °C (65 °F).

PAR DIVISION

Au printemps, il est bénéfique de diviser et de replanter les plantes adultes de deux ans ou plus.

OÙ PLANTER

AU JARDIN

Même si la camomille préfère un sol perméable et ensoleillé, elle tolère aussi l'ombre partielle. Plantez en espaçant de 15 cm (6 po).

EN POT

Ces fleurs à capitules sont très jolies dans une jardinière ou dans un gros pot. Utilisez un terreau avec un bon drainage.

QUAND RÉCOLTER

Cueillez les fleurs quand les pétales se fanent un peu. Faites sécher rapidement (voir p. 146), puis enlevez les feuilles et les tiges, et rangez les fleurs dans un contenant hermétique foncé.

LA GASTRONOMIE

En principe, tout le monde sait comment faire de la tisane, mais je vous en donne une recette rapide en page 36. Vous pouvez utiliser des fleurs fraîches ou séchées: pour obtenir la meilleure saveur, assurez-vous que les pétales sont légèrement incurvés. Les jeunes fleurs ont un goût plus léger.

SALADE DE FRUITS À LA CAMOMILLE

pour 4 personnes

4 pêches
6 prunes
3 figues
3 pommes
tisane de camomille
1 c. à dessert de pétales de camomille

Dénoyautez ou enlevez le cœur des fruits; puis lavez, pelez, tranchez et mettez dans un saladier. Préparez la tisane de camomille (voir p. 36) avec miel et rondelle de citron, puis laissez infuser 20 minutes. Filtrez l'infusion refroidie et versez sur la salade de fruits. Parsemez de pétales de camomille et servez.

TISANE DE CAMOMILLE

pour 1 personne
1 c. à thé comble de fleurs de camomille, fraîches ou séchées
1 c. à thé de miel
1 rondelle de citron

Mettez les fleurs de camomille dans une tasse chaude. Versez de l'eau bouillante sur les fleurs. Couvrez et laissez infuser 3 à 5 minutes. Filtrez et ajoutez miel et rondelle de citron. Buvez chaud ou froid.

La camomille à fleurs doubles donne aussi une très bonne infusion.

Chrysanthemum coronarium

CHRYSANTHÈME COURONNÉ

Annuelle rustique. Haut. 45 cm (18 po). Fleurs tout l'été, dont la couleur des capitules varie de jaune à jaune et blanc. Leur goût est franc et amer. Les feuilles ont une saveur épicée.

Le chrysanthème couronné est le moins amer de toute la famille des chrysanthèmes. Les pétales et les jeunes fleurs entières sont délicieux dans les sautés et les plats de courges. Les pétales sont un bon ajout aux salades, surtout celles contenant des poivrons, et sont très décoratifs et rafraîchissants sur les soupes. La fleur entière constitue une garniture idéale.

COMMENT CULTIVER

PAR SEMIS

Semez les graines sur la surface de caissettes ou modules préparés. Couvrez de vermiculite. Si vous le faites à l'intérieur quand il fait encore froid, il faut une température de fond de 19 °C (65 °F).

OÙ PLANTER

AU JARDIN

Comme le chrysanthème est une plante assez haute, placez-la au milieu de la plate-bande. Elle pousse mieux en plein soleil dans un sol riche, humide et perméable. Le système racinaire est peu profond et s'accommode des terrains pierreux, mais pour obtenir une bonne récolte il lui faut de l'engrais régulièrement (après chaque taille). Cette plante tolère très bien les variations de température. Entre 21 et 32 °C (70-90 °F), elle croît rapidement et, en la taillant, vous obtiendrez deux (ou même trois) récoltes de fleurs. Elle peut aussi résister à un froid de -4 °C (25 °F) et, si on la soigne bien, produire ensuite une récolte de feuilles.

EN POT

Ces chrysanthèmes sont magnifiques dans de grands pots. Si vous en plantez quatre ou cinq dans un gros pot de 30 cm (12 po), vous aurez des fleurs du début de l'été jusqu'aux premières grosses gelées. En leur donnant de l'engrais après chaque taille, vous obtiendrez jusqu'à trois récoltes.

QUAND RÉCOLTER

Cueillez les fleurs dès qu'elles s'ouvrent complètement et mettez-les dans l'eau. Enlevez les pétales juste avant de les utiliser dans une salade ou un sauté, en enlevant toujours leur onglet blanc (la partie la plus amère). Si vous désirez utiliser la fleur entière, elle doit être jeune, débarrassée de ses parties vertes et bien lavée (pour enlever les insectes). Asséchez avec un linge.

LA GASTRONOMIE

À mon avis, c'est une plante trop peu utilisée, car ses feuilles sont excellentes dans les salades ou les sautés, et ses fleurs sont très intéressantes. Et c'est le seul chrysanthème vraiment comestible. Pour un goût piquant, essayez les pétales dans l'huile (voir p. 142) ou le beurre (voir p. 138). Il vaut mieux manger les fleurs entières cuites plutôt que crues. Pour une salade verte, faites-les revenir rapidement dans l'huile ou le beurre, puis touillez-les avec la laitue. Dans la recette ci-contre, j'utilise les pétales et les fleurs, en décorant avec des fleurs supplémentaires.

CI-CONTRE: les fleurs cuites sont délicieuses mais, si vous voulez les manger crues, ne prenez que les pétales, qui ne sont pas amers.

SAUTÉ AUX TROIS POIVRONS, CHRYSANTHÈMES ET GERMES DE SOYA

pour 4 personnes

3 poivrons de couleurs différentes (vert, rouge, jaune)
1 c. à soupe d'huile végétale
1 gros oignon, haché
8 fleurs entières de chrysanthèmes couronnés (pour préparer, voir «QUAND RÉCOLTER»)
2 c. à soupe de pétales de chrysanthème couronné
150 g (5 oz) de germes de soya, lavés
1 c. à soupe de sauce de soya
fleurs (pour décorer)

Équeutez et évidez les poivrons, puis tranchez-les. Chauffez l'huile dans une sauteuse épaisse et faites revenir l'oignon à feu modéré, pour rendre translucide. Incorporez les poivrons et cuisez à feu vif 2 minutes, en remuant sans arrêt. Ajoutez fleurs, pétales, germes et sauce de soya, continuez la cuisson 1 minute, puis retirez du feu. Décorez avec d'autres fleurs et servez avec un riz nature.

CONSEIL

Même si vous n'avez pas l'intention d'utiliser toutes les fleurs, il faut les cueillir pour promouvoir la croissance et obtenir d'autres fleurs.

Cichorium intybus

CHICORÉE

Vivace rustique. Haut. 1 m (3 pi). Capitules de fleurs bleu intense du milieu de l'été au milieu de l'automne. Feuilles vert clair poilues.

On trouve ces magnifiques fleurs dans des endroits riches en chaux, le long des routes et des canaux d'Europe. Avec leur douce saveur de laitue, elles sont parfaites dans les salades au goût discret. Recherchez aussi *Cichorium intybus album* (à fleurs blanches) et *Cichorium intybus roseum* (à fleurs roses), qui sont tout aussi délicieuses. Ensemble, ces fleurs roses, blanches et bleues sont magnifiques dans les salades, leurs jolies couleurs y ajoutant une touche délicate.

COMMENT CULTIVER

PAR SEMIS

Semez les graines, très clairsemées, dans des pots ou modules préparés au printemps ou à la fin de l'été. Pour une germination rapide (sept à dix jours), semez-les très fraîches à la fin de l'été. Faites hiverner les jeunes plantules dans une serre ou un cadre de maraîcher. Transplantez quand il n'y a plus risque de gel, en espaçant de 45 cm (18 po).

OÙ PLANTER

AU JARDIN

On peut semer la chicorée directement dans un endroit ensoleillé, au sol préférablement alcalin. Éclaircissez les plantules pour les espacer de 15-20 cm (6-8 po). Rappelez-vous que la chicorée est une plante assez haute: choisissez un endroit ensoleillé au fond d'une plate-bande ou contre une clôture, qui la protégera du vent. Les fleurs s'ouvrent au lever du soleil et se ferment au crépuscule.

EN POT

Il est difficile d'y faire pousser la chicorée, car c'est une plante très haute. Mais on peut y arriver en mettant le pot contre un mur, qui supportera la plante.

QUAND RÉCOLTER

Comme celles du pissenlit, les fleurs de chicorée se ferment lorsque vous les coupez et les amenez à l'intérieur. Pour une salade, il faut donc les cueillir juste avant de servir.

LA GASTRONOMIE

Je n'ai pas encore trouvé le moyen de bien conserver ces fleurs à la saveur trop délicate pour se garder dans l'huile ou le sucre. Elles sont très jolies dans le beurre ou les glaçons. On peut consommer les fleurs en entier, en enlevant d'abord les parties vertes. Utilisez-les dans les salades vertes ou les salades de fruits, qui s'harmonisent bien à leur saveur.

CONSEIL

Les jeunes feuilles sont délicieuses en salade. Pour un substitut de café, utilisez la racine grillée, puis moulue. On peut aussi déterrer les jeunes racines et les faire bouillir, puis les servir en sauce comme plat d'accompagnement.

SALADE VERTE AUX FLEURS DE CHICORÉE

Les ingrédients de cette salade peuvent varier selon les arrivages et votre inspiration.

pour 4 personnes
1 laitue pommée
1 chicorée (frisée)
1 romaine
5 jeunes feuilles d'endive
feuilles de mâche
12 fleurs de chicorée bleues, roses et blanches (sans parties vertes)

Vinaigrette
1 c. à soupe d'aneth, haché
3 c. à soupe d'huile d'olive
1 c. à soupe de vinaigre à l'estragon
sel et poivre frais moulu

Lavez, asséchez et déchirez les feuilles de laitue. Disposez en ordre dans un saladier, en commençant par la laitue pommée sur le pourtour et en finissant au centre par la mâche. Faites la vinaigrette en mélangeant aneth, huile d'olive, vinaigre, sel et poivre. Versez sur la salade, ajoutez les fleurs, touillez et servez.

CITRONS FARCIS AUX SARDINES ET FLEURS DE CHICORÉE

Un hors-d'œuvre original et savoureux.

Pour 6 personnes
6 gros citrons
100 g (4 oz) de beurre doux, amolli
6 sardines fraîches
1 c. à thé de concentré de tomate
1 c. à thé de moutarde de Dijon
1 pincée de muscade moulue
8 fleurs de chicorée

Enlevez une mince tranche à la base des citrons pour qu'ils tiennent debout. Coupez un capuchon sur le dessus de chacun et évidez la pulpe à la cuiller, en réservant jus et pulpe. Enlevez aussi les membranes et les pépins. Mettez le beurre dans un robot de cuisine et malaxez pour rendre crémeux. Ajoutez sardines, concentré de tomate, moutarde, jus et pulpe de citron, mélangez pour rendre homogène, puis mettez la muscade. Prenez les pétales de deux des fleurs et incorporez au mélange. Déposez la farce dans les citrons, mettez une fleur sur chacun et couvrez des capuchons. Réfrigérez avant de servir sur un plat décoré avec le reste des fleurs.

Citrus sinensis et *Citrus limonium*

ORANGER et CITRONNIER

Arbre ou arbuste à feuilles persistantes. Haut. jusqu'à 8 m (25 pi). Petites fleurs blanches très aromatiques en forme d'étoile, seules ou en grappes, au printemps.

Les fleurs d'agrumes ont parfois un parfum et un goût très forts, tout à la fois doux, âcres et citronnés. C'est pourquoi elles s'harmonisent bien à une foule de plats, des sautés jusqu'aux desserts.

COMMENT CULTIVER

PAR SEMIS

On peut obtenir des plants d'agrumes à partir de semis. Mais ces plants seront lents à produire des fruits, s'ils en ont. Semez dans de petits pots préparés avec un terreau d'écorce et de tourbe. Dès que les plantules sont solides, transplantez dans un terreau argileux en pressant bien celui-ci. Ceci permettra au bois de la plante de bien croître, en demeurant solide et sans excès de sève.

PAR BOUTURAGE

On peut couper des boutures sur les pousses non matures, de la fin du printemps au début de l'été. Utilisez un terreau de gros sable, d'écorce et de tourbe. Quand elles sont enracinées, transplantez dans un terreau argileux en pressant bien.

OÙ PLANTER

AU JARDIN

Les orangers et les citronniers poussent seulement dans les régions au climat doux. Il leur faut un sol riche, humide, perméable et bien arrosé. On doit les planter en les espaçant de 5 à 6 m (15 à 20 pi). Ils atteignent leur plein potentiel en 10 ans environ (jusqu'à 500 fruits par année).

EN POT

Dans les régions plus au nord, il faut cultiver ces plantes dans des pots, placés dehors l'été et dans une serre l'hiver. Plantez dans des pots au terreau argileux et perméable. Taillez au printemps et au début de l'automne, pour maintenir une belle forme. Ne laissez pas sécher le sol et arrosez beaucoup en été.

QUAND RÉCOLTER

Cueillez les fleurs dès qu'elles s'ouvrent ou à maturité. On peut les faire sécher ou congeler, mais il est préférable de les conserver dans le sucre, l'huile, le sirop ou le beurre (voir p. 138).

LA GASTRONOMIE

Ces fleurs douces et odorantes sont délicieuses dans les plats salés et sucrés. Toute la fleur est comestible, mais il faut enlever les parties vertes. Si vous êtes sensible au pollen, ôtez les étamines et les pistils, et ne mangez que les pétales.

CONSEIL

Si votre arbre produit des fruits, il leur faudra jusqu'à un an pour mûrir!

CURRY DE POULET THAÏLANDAIS AUX FLEURS D'AGRUMES

pour 6 personnes

1 poulet à rôtir d'environ 1,5 kg (3 lb)
300 ml (1 1/4 t.) chacun de lait de coco épais et allégé (voir ci-dessous)
3 c. à soupe de pâte verte au curry (voir ci-dessous)
2 brins de jeunes feuilles de citronnier ou d'oranger
2 c. à soupe de piments verts frais, sans graines et hachés fin
1 c. à thé de sel
4 c. à soupe de feuilles de coriandre fraîche, hachées fin
3 c. à soupe de fleurs d'agrumes (pour décorer)

Lait de coco

1,2 l (5 t.) d'eau
340 g (12 oz) de noix de coco séchée

Portez l'eau à ébullition, mettez la noix de coco dans un grand bol et versez la moitié de l'eau dessus. Laissez tiédir quelques minutes, puis filtrez dans une passoire fine pour extraire un maximum de lait. Réservez ce lait de coco épais. Répétez l'opération avec la même noix de coco en y ajoutant le reste de l'eau bouillante pour obtenir le lait de coco allégé.

Pâte verte au curry

4 gros piments verts frais, sans graines
1 c. à thé de grains de poivre noir
1 petit oignon
1 c. à soupe d'ail, haché
2 c. à soupe de coriandre fraîche
1 c. à thé de graines de coriandre, moulues
1 c. à thé de cumin, moulu
1 c. à thé de curcuma, moulu
1 c. à soupe d'huile

Mettez tous les ingrédients dans un mélangeur et malaxez pour rendre homogène, en ajoutant un peu d'huile si nécessaire. Pour sauver du temps, achetez cette pâte verte au curry déjà préparée. Coupez le poulet en morceaux. Portez à ébullition 300 ml (1 1/4 t.) du lait de coco épais à feu modéré, réduisez la chaleur et continuez à cuire jusqu'à épaississement, en remuant de temps à autre. Ajoutez 3 c. à soupe de pâte verte au curry et cuisez 5 minutes, en remuant constamment. Mettez le poulet dans la sauce au curry, en retournant pour colorer de toutes parts, puis ajoutez 300 ml (1 1/4 t.) du lait de coco allégé et les feuilles d'agrumes. Remuez jusqu'à ébullition, puis laissez mijoter à feu doux

environ 35 minutes, pour bien cuire le poulet et rendre la sauce épaisse et huileuse. Incorporez piments, sel et feuilles de coriandre, puis cuisez encore 5 minutes. Décorez avec les fleurs et servez avec du riz nature.

SORBET À L'ORANGE

pour 4 personnes
4 grosses oranges
300 ml (1 1/4 t.) d'eau
75 g (3 oz) de sucre
3 c. à soupe de fleurs d'oranger
1 blanc d'œuf, en neige

Coupez le dessus des oranges et évidez-les. Mettez la pulpe dans une casserole et placez les oranges évidées au congélateur. Ajoutez eau, sucre et un tiers des fleurs à la pulpe d'orange et portez à ébullition doucement, en remuant de temps à autre pour que le sucre n'attache pas. Laissez mijoter environ 8 minutes. Filtrez le liquide et ajoutez du sucre au besoin.

Laissez refroidir, puis versez dans un plat en métal. Mettez au congélateur pendant 10 minutes, puis battez le mélange au fouet ou à la fourchette. Répétez jusqu'à ce qu'il devienne de la glace fondante, puis incorporez le blanc d'œuf et un autre tiers des fleurs. Déposez le sorbet à la cuiller dans les oranges congelées et remettez au congélateur. Environ 10 minutes avant de servir, sortez les sorbets et décorez avec le reste des fleurs.

PAGE 44: sorbets à l'orange
CI-CONTRE: jeunes oranges
CI-DESSOUS: fleurs d'oranger

Coriandrum sativum
CORIANDRE

Annuelle délicate. Haut. 60 cm (24 po). Petites fleurs blanches en été. Les premières feuilles (et celles du bas) sont larges et ont un arôme et un goût prononcés, alors que les feuilles du haut dégagent une odeur âcre.

Certains voudraient peut-être empêcher la floraison de cette plante pour lui permettre de produire plus de feuilles, mais c'est presque impossible et c'est tant mieux, car les fleurs sont comestibles et absolument délicieuses. Leur goût est un mélange de celui des feuilles hautes et basses. Elles sont excellentes dans plusieurs recettes: plats thaïlandais, salades, soupes, trempettes, etc.

COMMENT CULTIVER

PAR SEMIS

Semez les graines dans des modules ou des pots préparés. N'utilisez pas de caissettes pour ne pas abîmer les racines lors de la transplantation, ce qui nuirait à la croissance des feuilles. Transplantez les plantules au jardin quand le sol s'est réchauffé et qu'il n'y a plus risque de gel, en les espaçant de 23 cm (9 po). Si vous les cultivez seulement pour les feuilles, un espacement de 5 cm (2 po) est suffisant.

OÙ PLANTER

AU JARDIN

Dès que le sol commence à se réchauffer et qu'il n'y a plus risque de gel, semez directement dans des sillons peu profonds faits dans un sol léger et perméable, à un endroit ensoleillé. Quand la plante atteint le stade de la floraison, elle fera à peu près 60 cm (24 po) de haut et il lui faudra des tuteurs s'il y a beaucoup de vent.

EN POT

Comme la coriandre n'aime pas être transplantée, il vaut mieux la semer tout de suite dans le pot où elle poussera. Le plus grand avantage de la culture en pot est qu'elle permet de contrôler l'environnement de la coriandre et de la protéger du gel et d'une surabondance de pluie froide. Le pot doit être à un endroit ensoleillé ou très éclairé pour empêcher la plante de s'étioler.

QUAND RÉCOLTER

Cueillez les fleurs de coriandre au fur et à mesure qu'elles apparaissent. On peut les conserver dans l'huile, le beurre ou le vinaigre (voir p. 138). Les trois méthodes sont bonnes et il vaut la peine de les essayer.

LA GASTRONOMIE

Les fleurs de coriandre sont plus adaptables que les feuilles et les graines. Elles se combinent bien avec les ingrédients de plusieurs plats différents: elles sont délicieuses dans une trempette au fromage à la crème et divers sautés ou comme garniture du chou-fleur. Les possibilités sont illimitées, si on inclut les conserves d'huile, de beurre et de vinaigre floral. Utilisez l'huile dans une moussaka ou combinez les feuilles, graines et fleurs avec des champignons dans une sauce tomate pour les pâtes. Servez-vous de l'huile et du vinaigre aux fleurs de coriandre pour les vinaigrettes. Enfin, pour une note originale, parsemez les fleurs sur une salade d'oranges.

CONSEIL

Les graines sont tout aussi intéressantes à utiliser et à manger. En mûrissant, elles développent un merveilleux arôme d'orange et un goût piquant d'épices. Je crois que les graines maison sont définitivement supérieures aux graines commerciales, car leur goût est plus frais et plus vif.

ASPIC DE TOMATES ET FLEURS DE CORIANDRE

pour 4 personnes

6 grosses tomates
1 c. à thé d'échalotes, hachées
1 c. à thé de thym frais, haché
2 c. à thé de feuilles de coriandre fraîche, hachées
1 feuille de laurier
poivre noir frais moulu
1 oignon, pelé et tranché
2 clous de girofle
1 c. à soupe de concentré de tomate
4 c. à soupe d'eau chaude
1 c. à thé de sel
1 sachet de gélatine (végétariens: 2 c. à thé de poudre d'agar-agar)
1 c. à soupe de fleurs de coriandre

Mettez tomates, échalotes, thym, feuilles de coriandre et de laurier, poivre, oignon et clous de girofle dans une casserole. Portez à ébullition doucement et laissez mijoter pour attendrir les tomates. Incorporez concentré de tomate, eau chaude et sel. Faites mijoter 3 minutes, en remuant de temps à autre. Filtrez le mélange dans une passoire, remettez dans la casserole et ramenez doucement à ébullition. Ajoutez la gélatine et remuez pour dissoudre. Mettez les fleurs de coriandre et remuez encore, puis versez le mélange dans un moule en forme d'anneau de 1,25 l (5 1/2 t.). Réfrigérez pour faire prendre.

Pour servir, démoulez l'aspic sur un plat de service et garnissez le centre de fleurs de coriandre, salade de pommes de terre, salade verte ou charcuteries.

FLEURS DE CORIANDRE ET CREVETTES

pour 4 à 6 personnes

450 g (1 lb) de crevettes cuites, pelées
6 c. à soupe de jus de citron
6 oignons verts, tranchés
2 c. à thé de gingembre frais, pelé et râpé
2 c. à soupe de fleurs de coriandre
1 c. à soupe de menthe, hachée fin
1 c. à soupe de feuilles de coriandre, hachées fin

Mettez les crevettes dans un bol et versez le jus de citron dessus (les crevettes congelées doivent être tout à fait décongelées). Incorporez oignons, gingembre, feuilles de coriandre, menthe et la moitié des fleurs. Couvrez et réfrigérez 2 heures avant de servir. Pour servir, disposez les crevettes et leur sauce sur un plat ou des assiettes et décorez avec le reste des fleurs.

Cucurbita pepo var.

COURGE ET COURGETTE

Annuelle. Haut. 30-45 cm (12-18 po). Fleurs en trompettes de jaune à crème et au goût végétal, l'été. Feuilles lobées profondément divisées.

Il existe plusieurs variétés de courges de diverses formes, tailles et couleurs. Elles peuvent être de deux types: rampantes et grimpantes. Il y a aussi les courgettes, vertes ou jaunes, qui sont une variété de courge. Toutes ont ceci en commun: elles produisent des fleurs jaunes mâles et femelles. Les mâles possèdent une longue tige; les femelles en ont une très courte, avec le bébé courge derrière. Si vous utilisez la fleur femelle avant sa pollinisation, le fruit brunira et dépérira.

COMMENT CULTIVER

PAR SEMIS

Semez les graines au début du printemps dans de petits pots ou des modules à grands compartiments préparés, mais non dans des caissettes pour ne pas abîmer les racines lors de la transplantation. L'idéal est de mettre deux graines dans un pot de 10 cm (4 po). Si le temps est encore froid, une chaleur de fond de 18 °C (65 °F) facilitera la germination.

OÙ PLANTER

AU JARDIN

On peut y semer les graines directement dans un sol riche préparé, à un endroit ensoleillé. Creusez des trous peu profonds (les racines de courge ne s'enfoncent pas beaucoup) de 30 cm (12 po) carrés et remplissez de fumier ou de compost bien décomposé. Espacez les trous de 90 cm (3 pi) pour les courges grimpantes, de 120 cm (4 pi) pour les courges rampantes et de 50 cm (20 po) pour les courgettes. Semez dès que le sol commence à se réchauffer et qu'il n'y a plus risque de gel.

EN POT

Comme les plants de courgettes sont plus petits et poussent plus lentement, il est assez facile de les cultiver en pot, si celui-ci est assez gros pour leur système racinaire, c'est-à-dire 20 cm (8 po). Les jardinières de fenêtres peuvent aussi les accueillir.

QUAND RÉCOLTER

Cueillez les fleurs mâles l'été, selon vos besoins, quand elles viennent d'ouvrir. Mais ne récoltez les fleurs femelles que si vous avez suffisamment de courges ou de courgettes.

LA GASTRONOMIE

Lavez les fleurs soigneusement, en délogeant les perce-oreilles à l'intérieur. La forme en trompette de ces fleurs leur permet d'être farcies de divers mélanges de fromage, noix, boulgour et fines herbes. Elles font aussi un bon plat d'accompagnement. Si vous avez beaucoup de fleurs, voici une recette facile et rapide. Faites revenir de l'ail et un oignon dans l'huile quelques minutes. Ajoutez des fleurs de courgette et cuisez en remuant, pour rendre translucide. Parsemez de basilic haché et servez.

CONSEIL

Les courges peuvent être la proie de certaines maladies et de parasites, le plus commun étant les limaces. Pour les enlever, mettez des pièges ou inspectez les plants le soir avec une lampe de poche.

FLEURS DE COURGETTE FARCIES

pour 4 à 6 personnes
10 grosses fleurs de courgette
Huile pour la friture

Pâte à frire
100 g (4 oz) de farine
sel
2 c. à soupe d'huile de thym
150 ml (2/3 t.) d'eau tiède
1 blanc d'œuf

Farce
1 c. à table d'huile de thym ou d'olive
1 petit oignon, haché fin
1 gousse d'ail, écrasée
100 g (4 oz) de riz brun, cuit
1 c. à table de pignons
1 c. à soupe de thym au citron, haché
sel et poivre noir frais moulu
1 c. à dessert de ciboulette, hachée
140 ml (2/3 t.) de fromage à la crème

Lavez et asséchez les fleurs soigneusement. Pour la pâte, tamisez la farine dans un grand bol, ajoutez une pincée de sel et incorporez huile et eau. Le mélange devrait être comme de la crème à fouetter (ajoutez de l'eau au besoin). Laissez reposer 1 ou 2 heures avant d'utiliser. Puis montez le blanc d'œuf en neige et incorporez à la pâte.

Pour la farce, chauffez l'huile dans une sauteuse, faites revenir l'oignon à feu doux, ajoutez l'ail et continuez à cuire 1 minute. Puis ajoutez riz, pignons et thym, en remuant sur le feu encore 2 minutes. Retirez du feu, salez et poivrez, puis incorporez ciboulette et fromage à la crème.

Mettez un peu de farce à la cuiller dans chaque fleur, en écartant délicatement les pétales. Refermez ceux-ci sur la farce. Enrobez chaque fleur farcie de pâte, puis enlevez tout excédent. Chauffez l'huile de friture dans une sauteuse ou une friteuse à 185 °C (360 °F) et jetez-y les fleurs, quelques-unes à la fois. Cuisez 4 minutes, en les retournant une fois. Égouttez sur du papier absorbant et servez tout de suite.

CI-DESSOUS: les courgettes jaunes sont aussi délicieuses que les vertes.

QUAGLIA ANTONIO
DI QUAGLIA & LONGO S.n.c. ESPORT.FRUTTA
TEL.
85431
VERZUOLO
(CUNEO)
PIEMONTE
ITALIA

Dianthus et ssp.

ŒILLETS

❖

Vivace. Haut. 15-60 cm (6-24 po). Fleurs simples ou composées blanches, roses, cramoisies ou rouges (ou une combinaison des quatre), avec des bords découpés. Feuilles lancéolées vert moyen.

Quoi de plus nostalgique que l'arôme des œillets embaumant une soirée d'été? De plus, leur goût de clou de girofle sucré est à l'égal de leur parfum. Ces fleurs sont délicieuses dans les préparations sucrées: salades de fruits, gâteaux, confitures, gelées, tartes aux fruits, etc. Il existe plusieurs variétés de *Dianthus*: *Dianthus* «Mrs. Sinkins», *Dianthus* «Gran's Favorite» ou *Dianthus* «Prudence». Elles sont toutes comestibles (après avoir enlevé l'onglet blanc des pétales).

COMMENT CULTIVER

PAR SEMIS

On peut cultiver les œillets par semis, mais les plantes seront alors de différentes tailles et couleurs. Si vous n'êtes pas puriste, ça peut être amusant. Semez les graines en automne dans des caissettes ou modules, et couvrez pour hiverner. Quand la germination commence, il ne faut pas trop arroser les plantules.

PAR DIVISION

Après la floraison au début de l'automne, on peut déterrer et diviser les plantes adultes.

PAR BOUTURAGE

On peut couper des boutures herbacées au printemps et des boutures d'onglet au début de l'automne.

OÙ PLANTER

AU JARDIN

Les œillets préfèrent un sol perméable et plutôt pauvre, à un endroit ensoleillé et protégé.

CI-CONTRE: ce magnifique vase met bien en valeur ces œillets «Cheddar».

EN POT

Les œillets sont très jolis dans de vieux pots de terre cuite. Utilisez un terreau qui se draine bien et que vous garderez un peu sec l'hiver.

QUAND RÉCOLTER

Cueillez les fleurs quand elles s'ouvrent. Cristallisez les pétales ou faites-en des conserves dans le sirop, le sucre, la confiture, l'huile ou le vinaigre (voir p. 138).

LA GASTRONOMIE

Cette fleur aux usages variés est facile à utiliser. Pour tous les plats, enlevez l'onglet blanc à la base des pétales, car il est très amer.

CONSEIL

Le principal parasite de cette plante est l'araignée rouge. Dès que vous en voyez, traitez avec du savon insecticide en suivant le mode d'emploi.

CONFITURE D'ŒILLETS

donne environ 700 g
200 g (7 oz) de sucre
300 ml (1 1/4 t.) d'eau
50 g (2 oz) de pétales d'œillet, préparés

Mettez sucre et eau dans une casserole et portez à ébullition doucement, en remuant pour dissoudre le sucre, puis laissez mijoter jusqu'à épaississement. Ajoutez les pétales en remuant constamment, et continuez à cuire à feu doux pour obtenir un mélange très épais. Versez dans des pots stérilisés chauds, laissez refroidir et couvrez. Réfrigérez les pots entamés et consommez leur contenu en l'espace de 3 à 4 semaines.

SALADE DE FRUITS ET CRÈME FRAÎCHE AVEC ŒILLETS

pour 4 personnes
1 melon de miel
225 g (8 oz) de litchis
2 kiwis, pelés et tranchés
24 groseilles à maquereau, cuites
225 g (8 oz) de raisins verts (sans pépins)
1 c. à soupe de pétales d'œillet, sans l'onglet blanc
150 ml (2/3 t.) de jus de raisin blanc
4 fleurs d'œillet, pour décorer

Crème
200 ml (3/4 t.) de crème fraîche
2 c. à soupe de pétales d'œillet (sans onglet blanc)

Faites des boules avec la pulpe du melon. Pelez les litchis, dénoyautez-les et coupez-les en deux. Mélangez tous les fruits dans un bol, puis ajoutez jus de raisin et pétales d'œillet. Touillez, puis réfrigérez 2 heures. Préparez la crème juste avant de servir, en mêlant les pétales d'œillet à la crème fraîche dans un bol. Pour servir, décorez avec les fleurs.

CI-DESSOUS: salade de fruits et crème fraîche avec œillets

Eruca vesicaria ssp. *sativa*

ROQUETTE CULTIVÉE

Annuelle. Haut. 60-90 cm (2-3 pi). L'été, la fleur à quatre pétales est d'abord jaune, puis elle devient blanche et veinée de violet. Les feuilles d'un vert moyen sont ovales et lancéolées.

Cette plante est appelée de différents noms populaires: roquette, arugula, rugola ou rucola. Quand une plante a une floraison abondante, c'est un avantage si ses fleurs ont un goût excellent. C'est le cas des fleurs de roquette cultivée, dont la saveur rappelle les noix, le poivre et le bœuf. Elles ajoutent une note d'exotisme aux plats salés et même aux desserts (où on doit les utiliser avec discrétion). Par exemple, elles s'harmonisent bien à la crème à la rhubarbe.

COMMENT CULTIVER

PAR SEMIS

Il vaut mieux semer directement dans le jardin.

OÙ PLANTER

AU JARDIN

Comme cette plante a deux récoltes différentes (fleurs et feuilles), choisissez celle qu'il vous faut en semant les graines. Le sol doit être humide et un peu ombragé pour la production de feuilles, et en plein soleil pour la production de fleurs. Semez dans des rangs préparés dès qu'il n'y a plus risque de gel et que le sol commence à se réchauffer. Dans les climats plus chauds, on peut aussi semer à l'automne pour une récolte de feuilles d'hiver; dans les climats plus frais, semez au printemps pour une récolte l'été. Si vous n'avez pas assez d'espace pour des rangs, semez les graines en touffes dans les plates-bandes de fleurs. Éclaircissez les plantules pour les espacer de 20 cm (8 po). Il faudra attendre de 6 à 8 semaines pour la récolte des feuilles et de 12 à 14 semaines pour celle des fleurs. Si vous semez quand il fait plus chaud, la plante fleurira plus rapidement.

EN POT

La roquette cultivée n'y pousse pas bien pour la production de feuilles. Mais pour les fleurs, c'est un bon choix. Semez directement dans un pot placé à un endroit abrité (sinon les plantes auront besoin d'un tuteur) et arrosez bien. La chaleur favorise la floraison. Si vous cueillez constamment les fleurs, d'autres les remplaceront et vous pourrez en récolter tout l'été.

QUAND RÉCOLTER

Pour que les fleurs soient plus savoureuses, cueillez-les au début, quand elles sont jaunes, et utilisez-les fraîches. On ne peut pas les faire sécher, mais on peut les conserver dans l'huile, le vinaigre ou le beurre (voir p. 138).

LA GASTRONOMIE

Toute la fleur est comestible, mais il faut enlever toute partie verte. Le renflement derrière la fleur (où se forment les graines) ajoute du croquant à la dégustation. Selon la recette, utilisez les pétales, les fleurs entières ou les fleurs avec croquant. Incorporez-les aux salades de riz ou parsemez-les sur des haricots verts cuits. Ajoutez aussi des fleurs entières au tarama et servez avec du pain complet grillé.

CONSEIL

Attention aux puces de terre: il y en a si vous voyez de petits trous sur les feuilles. Mettez alors tout de suite de la suie autour des plantes.

GARNITURE AU YOGOURT POUR POMMES DE TERRE EN ROBE DES CHAMPS

pour 4 personnes

4 pommes de terre non pelées
150 ml (2/3 t.) de yogourt nature
18 feuilles de roquette, hachées fin
10 fleurs de roquette, avec croquant
1 c. à soupe de fleurs de roquette (sans croquant)

Cuisez les pommes de terre au four. Mettez le yogourt dans un bol, ajoutez feuilles et fleurs (avec croquant), et mélangez bien. Retirez les pommes de terre du four et faites une entaille en croix sur le dessus. Mettez 1 c. à soupe de la garniture sur chacune et parsemez le reste des fleurs dessus. Servez tout de suite, accompagnées du reste de la garniture garnie de fleurs.

SALADE ROUGE, VERTE ET JAUNE

pour 2 à 4 personnes

1 poivron vert
1 oignon rouge
10 fleurs de roquette (avec croquant)
1 c. à soupe de pétales de fleurs de roquette
30-40 feuilles de roquette

Vinaigrette

3 c. à soupe d'huile d'olive ou de tournesol
1 c. à soupe de vinaigre à l'estragon
1 c. à soupe de moutarde de Dijon
sel et poivre

Coupez poivron et oignon en tranches fines. Lavez délicatement fleurs, pétales et feuilles, et asséchez avec un linge. Mettez ces ingrédients dans un saladier. Préparez la vinaigrette en mélangeant huile, vinaigre, moutarde, sel et poivre ensemble. Versez sur la salade, touillez et servez.

Filipendula ulmaria

SPIRÉE ULMAIRE, REINE-DES-PRÉS

Vivace. Haut. 60-120 cm (2-4 pi). Grappes de fleurs blanc crème au parfum doux, au milieu de l'été. Feuilles vert foncé composées de cinq paires de folioles.

Les fleurs de cette plante sont utilisées depuis l'époque anglo-saxonne. On peut en faire du vin ou l'ajouter aux compotes de fruits, gelées et vinaigres. Le vinaigre de spirée ulmaire est le premier vinaigre floral que j'ai essayé: il est excellent pour la vinaigrette. Les fleurs de *Filipendula ulmaria* «Aurea» et de *Filipendula ulmaria* «Variegata» sont tout aussi comestibles que celles de la spirée ulmaire commune.

COMMENT CULTIVER

PAR SEMIS

À l'automne, semez dans des caissettes ou modules préparés. Vérifiez de temps à autre que le sol n'est pas trop sec, car cela nuit à la germination. Quand les plantules sont assez grandes, transplantez-les avec un espacement de 30 cm (12 po).

PAR DIVISION

On peut diviser les plantes adultes à l'automne et les replanter dans un endroit préparé.

OÙ PLANTER

AU JARDIN

Plantez dans un sol retenant l'humidité, à un endroit semi-ombragé. Si le sol s'assèche l'été, ajoutez du fumier ou du compost de feuilles au sol avant de planter.

EN POT

Les variétés décoratives de cette plante sont plus petites que la variété sauvage, et les spirées ulmaires «Aurea» et «Variegata» sont très jolies en pot. Placez-les dans un endroit semi-ombragé et arrosez bien.

QUAND RÉCOLTER

Cueillez les fleurs dès qu'elles s'ouvrent. Conservez-les dans l'huile, le vinaigre ou le sucre (voir p. 138).

LA GASTRONOMIE

On peut manger ces riches fleurs au parfum délicat dans des salades, mais leur goût y est parfois étouffé. Elles sont meilleures quand on les utilise pour faire des conserves: huile, vinaigre ou gelée (voir p. 141-142). Ou encore essayez la recette de vin qui suit.

VIN DE REINE-DES-PRÉS

donne 4 à 5 bouteilles

600 ml (2 1/4 t.) de sommités fleuries de reine-des-prés
225 g (8 oz) de raisins secs, hachés
1,6 kg (3 1/2 lb) de sucre
4 1/2 l (20 t.) d'eau bouillante
jus de 3 citrons
150 ml (2/3 t.) de thé fort
20 g (3/4 oz) de levure granulée
1 c. à thé de nutriment de vinification (disponible en boutique spécialisée)

Mettez fleurs, raisins et sucre dans un seau en plastique avec couvercle. Versez l'eau et mélangez bien. Quand le mélange est refroidi, ajoutez jus de citron, thé, levure et nutriment. Laissez fermenter bien couvert 4 à 5 jours à 18 °C (65 °F), en remuant deux fois par jour. Puis versez dans une cuve de fermentation et mettez une trappe à eau. Quand la fermentation est terminée et que le vin s'est clarifié, versez dans des bouteilles propres et conservez trois mois avant d'utiliser.

CI-DESSUS: reines-des-prés dans l'huile

CONSEIL

Une tisane faite avec ces fleurs est bénéfique pour les personnes grippées.

BEIGNETS AUX REINES-DES-PRÉS

Voici une combinaison remarquable de la saveur des reines-des-prés et de celle des roses.

donne environ 16 beignets
2 sommités fleuries de spirée ulmaire par personne
125 g (4 oz) de farine
une pincée de sel
1 c. à soupe d'huile
150 ml (2/3 t.) de bière ou d'eau
2 petits œufs, séparés
huile pour la friture
sucre, pour saupoudrer
pétales de rose hachés (sans onglet blanc), pour décorer

Lavez les fleurs délicatement sous le robinet, déposez sur du papier absorbant et tapotez pour assécher. Réservez. Mélangez farine et sel avec huile et bière (ou eau) en battant bien pour rendre homogène, puis incorporez les jaunes d'œufs. Couvrez et laissez dans un endroit tiède quelques heures, pour laisser la farine fermenter un peu. Montez les blancs d'œufs en neige ferme et incorporez à la pâte fermentée. Chauffez l'huile à 220 °C (425 °F). Secouez les sommités fleuries, enrobez-les de pâte et faites frire, pour dorer de toutes parts. Déposez sur un plat et saupoudrez de sucre. Puis parsemez de pétales de rose hachés et servez.

Fœniculum vulgare
FENOUIL

Vivace. Haut. 1,5-2,1 m (4-7 pi). Nombreuses petites fleurs jaunes en grandes ombelles et au parfum doux, à la fin de l'été. Feuillage délicat vert tendre à l'arôme d'anis.

Ces fleurs au goût d'anis sont excellentes avec le poisson ou le porc. Et, comme les feuilles, elles contribuent à décomposer le cholestérol des aliments. Toute la plante est comestible et est utilisée en cuisine depuis l'époque romaine. Le fenouil était aussi un des végétaux sacrés des peuples anglo-saxons. Les fleurs de *Fœniculum vulgare* «Purpureum» peuvent être utilisées de la même manière que celles de *Fœniculum vulgare*.

COMMENT CULTIVER

PAR SEMIS

Semez les graines au début du printemps dans des caissettes ou modules préparés et couvrez de vermiculite. Une température de fond de 15 °C (60 °F) active la germination. Transplantez dehors quand il n'y a plus risque de gel.

PAR DIVISION

La division ne fonctionne que si vous avez un sol léger et sableux. Déterrez les plantes à l'automne, divisez-les puis replantez dans un endroit bien préparé.

OÙ PLANTER

AU JARDIN

Le fenouil aime un sol léger et perméable dans un endroit ensoleillé. Même si c'est une plante vivace, il vaut mieux la remplacer à tous les trois ans. Si vous semez directement dans le jardin, faites-le après les dernières gelées.

EN POT

Le fenouil «Purpureum» est très joli en pot, mais peut nécessiter un tuteur au début de la floraison. L'été, arrosez-le et fertilisez-le régulièrement, et protégez-le du soleil de midi.

QUAND RÉCOLTER

Cueillez les sommités fleuries quand elles sont bien ouvertes. On peut les conserver dans l'huile, le vinaigre ou le beurre (voir p. 138).

LA GASTRONOMIE

Les petites fleurs sont comestibles en entier: détachez-les des tiges (jetez ces dernières). Leur goût anisé se combine bien aux soupes (au concombre et aux pommes de terre) ainsi qu'aux plats de poisson (maquereau) et de légumes (pommes de terre, tomates, concombres). Une huile faite avec les fleurs est très bonne pour frire le poisson et parer les côtes de porc pour le barbecue.

CI-CONTRE: fenouil et tournesols

SALADE DE CONCOMBRE

pour 4 personnes

1 gros concombre
2 c. à soupe de fleurs de fenouil
1 c. à soupe de feuilles de fenouil
1 c. à thé de sel

Pelez le concombre, tranchez très fin et déposez dans un petit bol. Parsemez de sel, couvrez d'une assiette et mettez un poids pour presser sur les tranches de concombre. Réfrigérez 1 heure. Égouttez le liquide dégorgé. Disposez les tranches sur un plat de service, parsemez des fleurs et feuilles de fenouil hachées et servez avec du saumon poché, par exemple.

CONSEIL

Ne plantez pas à côté de la coriandre, cela corromprait le goût des deux plantes. La tisane de fenouil (infusion des graines) facilite la digestion et prévient les brûlures d'estomac et la constipation.

CHOU ROUGE ET FLEURS DE FENOUIL

pour 4 personnes

1 chou rouge moyen
2 pommes, sans cœur, pelées et hachées grossièrement
1 c. à soupe de sucre
beurre
2-3 c. à soupe de vinaigre de fleurs de fenouil
sel et poivre frais moulu
muscade frais moulue
2 c. à soupe de fleurs de fenouil, préparées

Préchauffez le four à 165 °C (325 °F). Jetez les feuilles extérieures du chou, coupez-le en quartiers, enlevez la tige et coupez en tranches. Disposez des couches de tranches de chou et de pommes dans un plat à four bien beurré. Parsemez chaque couche de sucre, vinaigre, sel, poivre, muscade et fleurs de fenouil. Couvrez et mettez au four 3 à 3 1/2 heures. Avant de servir, enlevez le couvercle et mélangez bien, en décorant avec le reste des fleurs. Servez avec des côtes de porc ou du maquereau et des pommes de terre en robe des champs.

Fuchsia ssp.

FUCHSIA

Arbres et arbustes à feuilles caduques ou persistantes.
Haut. jusqu'à 2 m (7 pi). Fleurs en clochettes pendantes
et souvent bicolores, du début de l'été au début de l'automne.
Feuilles ovales vert moyen.

Les fuchsias sont des fleurs absolument magnifiques: simples ou composées, bicolores ou même tricolores, mélangeant les roses et les pourpres. Les petits fruits noirs qui suivent les fleurs sont utilisés pour faire des gelées. Les fleurs sont aussi comestibles: leur goût est un peu fade, mais quand même intéressant. Et, cristallisées, elles sont vraiment superbes.

COMMENT CULTIVER

PAR SEMIS

On peut cultiver les fuchsias à partir des graines, mais certaines variétés doivent être bouturées. Semez au début de l'automne ou du printemps dans des caissettes ou modules préparés. Gardez les plantules dans une serre pendant l'hiver.

PAR BOUTURAGE

Au printemps ou au début de l'automne, coupez des boutures herbacées sur de jeunes rameaux non fleuris, puis placez dans des pots ou modules préparés, sans mélanger les espèces. Une fois les plants bien enracinés, transplantez-les et gardez en pot la première année.

OÙ PLANTER

AU JARDIN

Plantez les fuchsias dans un coin abrité et semi-ombragé, dans un sol humide, fertile et perméable. Des températures froides prolongées peuvent tuer le haut de la plante. Il faut alors la tailler en coupant au niveau du sol au printemps.

EN POT

Les fuchsias sont jolis dans des pots, paniers suspendus et jardinières de fenêtres. Pendant la floraison, il leur faut beaucoup d'engrais liquide à haute teneur en azote. Contrôlez le développement en coupant les extrémités de croissance l'été. Les plantes rampantes sont plus à l'aise dans des paniers suspendus ou sur des treillis. Taillez beaucoup à l'automne et rempotez à chaque printemps.

QUAND RÉCOLTER

Cueillez les fleurs quand elles viennent d'ouvrir. Préservez-les en les cristallisant (voir p. 142).

LA GASTRONOMIE

Pour consommer ces fleurs, il faut enlever les parties vertes et brunes ainsi que les étamines et les pistils. On peut utiliser les fleurs fraîches dans les salades vertes et les salades de fruits ou encore les cristalliser. Elles peuvent être un centre d'intérêt lors d'un repas: qui aura l'audace d'en manger le premier?

CONSEIL

Pour encourager la floraison, supprimez à mesure les fleurs mortes ou fanées.

SALADE AUX FLEURS DE FUCHSIA

pour 4 personnes

1/2 concombre, pelé à demi et haché
1 poivron vert, épépiné et haché
4 c. à soupe de menthe verte, hachée
1 romaine, tranchée
50 g (2 oz) de feuilles d'oseille
12 fleurs de fuchsia (sans parties vertes, étamines ni pistils)

Vinaigrette

3 c. à soupe d'huile d'olive
1 c. à soupe de vinaigre de fleurs de thym ou de vinaigre de vin blanc
1 gousse d'ail, écrasée
sel et poivre

Mêlez tous les éléments de la salade dans un saladier, en gardant quelques fleurs. Préparez la vinaigrette en mélangeant tous ses ingrédients. Versez sur la salade, touillez et décorez avec les fleurs. Servez tout de suite.

ASPIC DE FRAISES ET FLEURS DE FUCHSIA

pour 6 personnes

675 g (1 1/2 lb) de fraises fraîches
125 g (5 oz) de sucre
400 ml (1 3/4 t.) d'eau
3 c. à soupe de gélatine (ou poudre d'agar-agar)
6 fleurs de fuchsia (sans parties vertes, étamines ni pistils)
12-14 fraises, pour décorer

Mettez fraises, sucre et eau dans une casserole et portez à ébullition; faites mijoter 3 minutes en remuant. Passez fraises et liquide à travers une passoire fine pour enlever les graines. Remettez dans la casserole et cuisez à feu modéré sans bouillir, puis saupoudrez de gélatine. Battez pour bien dissoudre. Incorporez les fleurs et versez dans un moule en anneau de 1,25 l (5 1/2 t.). Laissez refroidir, puis réfrigérez plusieurs heures pour faire prendre. Démoulez sur un plat et placez des fraises au centre pour décorer.

Helianthus annuus

TOURNESOL, SOLEIL

Annuelle. Haut. 30 cm-4 m (1-12 pi). Grandes fleurs jaunes pouvant atteindre 35 cm (14 po) de diamètre, avec un centre brun ou violet. Feuilles vertes dentées ovales ou en forme de cœur.

À la mi-été, dans les champs, les tournesols qui se tournent pour suivre le soleil sont un spectacle magnifique. Les boutons floraux se consomment entiers; ils ont un goût végétal qui rappelle l'hélianthe tubéreux, *Helianthus tuberosus*, un proche parent. Quand la fleur est ouverte, on ne peut manger que les pétales, qui ont une saveur aigre-douce. Les boutons floraux et les pétales sont délicieux dans les salades, sautés et pâtes. Les variétés vivaces ont aussi des fleurs comestibles: par exemple, *Helianthus decapetalus* (aux fleurs jaune soufre) et *Helianthus x lætiflorus* (aux fleurs jaune vif). Il existe des tournesols de tailles variées, choisissez celle qui vous convient. Dans la section «En pot» se trouvent quelques variétés de petite taille.

COMMENT CULTIVER

PAR SEMIS

Semez les graines une par petit pot au printemps ou directement dans le jardin après les dernières gelées, avec un espacement de 30 cm (12 po).

PAR DIVISION

Divisez les espèces vivaces au printemps ou en été.

OÙ PLANTER

AU JARDIN

Les tournesols sont rustiques et s'accommodent de la plupart des sols. Cependant, comme ils ne poussent pas bien à l'ombre, plantez-les au soleil, dans un sol bien préparé et bien fertilisé. Les espèces vivaces épuisent le sol; il faut donc choisir un nouvel emplacement la deuxième ou la troisième année pour les replanter avec beaucoup de compost.

EN POT

Les plus petites variétés peuvent y pousser: entre autres, «Pacino» (aux fleurs jaune vif) et «Big Smile» (aux pétales

jaunes et au centre noir), qui font 30 cm (12 po) de haut, ainsi que «Teddy Bear», mesurant 40 cm (15 po) de haut. Plantez au soleil et à l'abri du vent.

QUAND RÉCOLTER

Cueillez les boutons floraux pour les utiliser entiers, les fleurs pour leurs pétales ou, au début de l'automne, la tête complète pour les graines.

LA GASTRONOMIE

Les boutons, les pétales et les graines sont comestibles. Les pétales jaune doré font un superbe contraste dans une salade verte.

CONSEIL

Surveillez bien les limaces et les lapins, qui sont friands des jeunes plantes de tournesols.

À DROITE: les tournesols sont très jolis dans les plates-bandes.

SALADE DE PÂTES AU TOURNESOL

pour 6 personnes

350 g (12 oz) de rigatonis
1 c. à soupe d'huile d'olive
1 gousse d'ail, écrasée
2 c. à soupe de pétales de tournesol
1 c. à soupe de noisettes, hachées
1 c. à soupe de graines de tournesol
1 c. à dessert de ciboulette, hachée
1 c. à soupe de mayonnaise
pétales de tournesol, pour décorer

Faites bouillir une marmite d'eau salée, plongez-y les rigatonis et cuisez 8 à 10 minutes. Égouttez quand ils sont *al dente*. Chauffez l'huile dans une sauteuse, ajoutez l'ail, puis les rigatonis, en mélangeant bien. Retirez du feu et mettez dans un saladier. Laissez refroidir et réfrigérez. Avant de servir les pâtes, incorporez-y pétales, graines, noisettes et ciboulette, puis la mayonnaise. Décorez avec des pétales frais et servez.

BOUTONS DE TOURNESOL

pour 4 personnes

8 boutons floraux de tournesol
30 g (1 oz) de beurre
pétales de tournesol, pour décorer

Faites bouillir de l'eau dans une grande casserole. Plongez-y les boutons floraux et faites blanchir 2 minutes, pour enlever les insectes et le goût amer. Égouttez dans une grande passoire. Remplissez de nouveau la casserole d'eau et portez à ébullition. Mettez-y les boutons floraux et cuisez encore 3 minutes, puis égouttez et enrobez de beurre. Décorez avec des pétales de tournesol et servez.

Hemerocallis
HÉMÉROCALLE

Vivace. Haut. 30-90 cm (12-36 po). Fleurs de différentes tailles allant du jaune clair au rouge foncé, selon les espèces. La floraison varie aussi selon les espèces, du printemps à l'automne. Toutes sont rustiques.

L'hémérocalle vient d'Extrême-Orient. Son nom veut dire «fleur qui ne dure qu'une journée». Les hémérocalles entrent dans plusieurs recettes de cuisine chinoise, et l'histoire nous apprend que les Chinois consomment ces fleurs depuis toujours. On peut manger les pétales et les boutons floraux; ils ont un goût frais et une texture croquante.

COMMENT CULTIVER

PAR SEMIS

Plusieurs espèces sont autostériles. Soit qu'elles ne produisent pas de graines, soit que celles-ci donnent des plants différents des plants parents. Semez les graines à l'automne dans des caissettes ou modules préparés. Au printemps, empotez les plantules ou transplantez dehors quand le sol est tiède et qu'il ne gèle plus.

PAR DIVISION

Propagez en divisant les plantes adultes à l'automne ou au printemps, à tous les trois ou quatre ans.

OÙ PLANTER

AU JARDIN

Plantez en plein soleil dans une plate-bande ou un gazon au sol humide et fertile. Certaines espèces prennent deux ans avant de fleurir. Fertilisez les plantes adultes au printemps avec du fumier.

EN POT

Il est possible de planter l'hémérocalle dans un pot, mais celui-ci doit mesurer au moins 30 cm (12 po) à cause de la taille imposante de la plante et de son système racinaire. Je recommande d'utiliser un terreau à base de terre, parce qu'il retient bien l'humidité. Plantez dans le pot en plaçant le collet de la plante, où se rencontrent la tige et les racines, juste au-dessous de la surface. Trop basse, la plante pourrira et trop haute, elle se fanera.

QUAND RÉCOLTER

Les hémérocalles s'ouvrent dans l'eau chaude. Vous pouvez les cueillir en boutons, les réfrigérer et, le lendemain, les plonger dans l'eau chaude. Elles s'ouvriront sous vos yeux. On peut aussi congeler les boutons floraux et les fleurs.

LA GASTRONOMIE

Les hémérocalles sont délicieuses dans les salades, les soupes chaudes ou froides et les sautés, ou encore cuites et servies comme légume. On peut les apprêter de plusieurs manières. La recette ci-dessous est une adaptation d'une recette chinoise.

CONSEIL

Faites la chasse aux limaces et aux escargots quand les feuilles apparaissent au printemps.

POULET BRAISÉ AVEC GINGEMBRE ET BOUTONS D'HÉMÉROCALLE

pour 4 personnes

1 poulet à rôtir de 1 kg (2 lb), désossé
15 boutons floraux d'hémérocalle, frais ou congelés
2 c. à soupe d'huile d'olive ou d'arachide

1 morceau de 4 cm (1 1/2 po) de gingembre frais
1 gousse d'ail, écrasée
100 ml (3 oz) de xérès ou vin blanc sec
1 c. à soupe de miel
50 ml (1/4 t.) de sauce de soya

Coupez le poulet en bouchées. Retirez le bout de tige des boutons floraux, puis coupez-en 12 en deux ou trois morceaux. Pelez le gingembre et râpez grossièrement. Chauffez l'huile dans une sauteuse et faites revenir gingembre et ail à feu doux, pour les dorer. Ajoutez le poulet et cuisez pour colorer de toutes parts à feu modéré, puis ajoutez boutons floraux, xérès ou vin, miel et sauce de soya. Couvrez la sauteuse et laissez mijoter à feu doux 25 minutes. Si la sauce épaissit trop, incorporez un peu d'eau chaude à la fin. Décorez avec le reste des boutons floraux et servez avec du riz et une salade verte.

POTAGE PARMENTIER AUX BOUTONS D'HÉMÉROCALLE

pour 4 personnes
2 poireaux
4 boutons floraux d'hémérocalle
40 g (1 1/2 oz) de beurre
450 g (1 lb) de pommes de terre
850 ml (3 3/4 t.) de bouillon de poulet
sel et poivre frais moulu
1/2 c. à thé de muscade, râpée
150 ml (5 oz) de crème à café

Tranchez les poireaux en rondelles et lavez bien. Mettez dans un robot de cuisine et hachez quelques secondes. Coupez les boutons floraux en fines tranches et réservez-en 12 pour décorer. Faites fondre le beurre dans un faitout, puis ajoutez les poireaux et faites revenir à feu doux, pour attendrir. Versez le bouillon et portez à ébullition, en remuant constamment. Faites mijoter 18 minutes, puis ajoutez les tranches de boutons floraux et cuisez 1 minute de plus. Égouttez le bouillon et réservez. Mettez les légumes dans le robot de cuisine et réduisez en purée. Versez le bouillon et la purée dans le faitout, ajoutez crème, muscade, sel et poivre, puis chauffez sans faire bouillir. Servez dans des bols, décorés avec trois tranches de boutons floraux et un peu de crème.

Hesperis matronalis

JULIENNE DES DAMES

Bisannuelle rustique. Haut. 60-90 cm (2-3 pi). Fleurs mauves, blanches, roses ou violettes au parfum doux pendant l'été de la deuxième année. Feuilles lancéolées vertes.

Ces fleurs au parfum divin ont un goût aromatique chaleureux avec une pointe de violette. Elles sont idéales en salade et comme décoration pour les desserts.

COMMENT CULTIVER

PAR SEMIS

Semez les graines à l'automne dans des caissettes ou modules préparés. Faites hiverner les plantules dans une serre fraîche. En semant tôt, vous pouvez parfois obtenir une floraison la première année.

OÙ PLANTER

AU JARDIN

Plantez dans un sol fertile et perméable à un endroit ensoleillé ou semi-ombragé, au milieu ou à l'arrière d'une plate-bande. À la fin du printemps, quand le sol est réchauffé, vous pouvez aussi semer directement dans le jardin. Après la germination, éclaircissez les plants pour les espacer de 45 cm (18 po).

EN POT

La julienne des dames est une plante haute, choisissez donc un pot et un endroit convenables. Quand les plantes sont à maturité, protégez-les du vent pour les empêcher de s'effondrer.

QUAND RÉCOLTER

Cueillez les fleurs quand elles s'ouvrent. Il vaut mieux prendre toute la sommité fleurie. Conservez dans le beurre, le sucre, le sirop ou le vinaigre (voir p. 138). Toute la fleur est comestible, incluant les étamines, mais pas la tige et les autres parties vertes. C'est pourquoi elle est idéale pour la cristallisation (voir p. 142).

CONSEIL

Les jeunes feuilles remplacent très bien la roquette, mais vous devrez en mettre avec parcimonie, car leur goût est plus fort.

SALADE DE CERISES ET JULIENNES DES DAMES

pour 4 personnes

450 g (1 lb) de cerises rouges fraîches, dénoyautées
2 cœurs de laitue
julienne des dames: 6 jeunes feuilles, hachées; 4 c. à soupe de fleurs blanches (sans parties vertes)

Vinaigrette

1 œuf
60 g (2 oz) de sucre
3 c. à soupe de vinaigre aux fleurs de julienne des dames ou à l'estragon, ou de vinaigre de vin blanc
sel et poivre frais moulu
150 ml (5 oz) de crème à fouetter, légèrement fouettée

Pour la vinaigrette, battez l'œuf dans un bol, ajoutez le sucre et mélangez bien. Incorporez le vinaigre goutte à goutte en continuant à battre (ou utilisez un robot de cuisine). Mettez le mélange dans un petit bol au-dessus d'une casserole d'eau qui mijote et remuez jusqu'à épaississement. Retirez du feu et continuez à remuer jusqu'à consistance de crème à fouetter. Enlevez le bol de la casserole et laissez refroidir. Salez et poivrez (ce mélange peut être gardé au réfrigérateur dans un bocal 2 à 3 semaines). Ajoutez la crème à la vinaigrette, puis incorporez-y délicatement les cerises. Séparez la laitue et disposez sur un plat. Parsemez de feuilles de julienne des dames, déposez dessus les cerises à la vinaigrette et décorez avec les fleurs.

YOGOURT GLACÉ AUX TROIS BAIES ET JULIENNES DES DAMES

pour 4 à 6 personnes

350 g (12 oz) de baies: cassis, groseilles, framboises
90 ml (3 oz) d'eau
50-100 g (2-4 oz) de sucre
2 œufs
150 ml (5 oz) de yogourt nature
fleurs de julienne des dames (sans parties vertes): 10 pour le yogourt; 3 roses et 3 mauves pour décorer

Cuisez les fruits ensemble pour attendrir, avec suffisamment de sucre. Passez à travers une passoire pour réduire en purée. Séparez les œufs, puis battez les jaunes pour les faire mousser. Mettez la purée de fruits dans une casserole et portez à ébullition, puis versez très lentement sur les jaunes d'œufs, en remuant constamment pour obtenir un mélange homogène. Ajoutez le yogourt et mélangez bien. Versez dans un plat de métal et déposez au congélateur pour raffermir (environ 1 heure). Retirez du congélateur et remuez pour rendre crémeux. Montez les blancs d'œufs en neige ferme et incorporez, avec les 10 fleurs, dans le mélange glacé. Remettez au congélateur pour bien geler. Quelques minutes avant de servir, disposez dans des coupes et décorez avec les fleurs roses et mauves.

Hyssopus officinalis

HYSOPE

Vivace à feuilles semi-persistantes. Haut. 30-80 cm (12-32 po).
Fleurs bleues aromatiques, de l'été au début de l'automne.
Petites feuilles lancéolées aromatiques.

Cette fine herbe, méconnue et peu utilisée, a des petites fleurs qui peuvent embellir plusieurs plats. Les hysopes à fleurs roses ou blanches sont aussi comestibles; pour plus de couleurs, on peut les combiner avec les bleues. Mais attention: ces fleurs ont un goût rappelant le thym, très fort et piquant. N'en utilisez que très peu à la fois.

COMMENT CULTIVER

PAR SEMIS

Semez les graines au début du printemps dans des caissettes ou modules préparés. Une température de fond de 15-21 °C (60-70 °F) facilitera la germination. Quand les plants sont assez grands, empotez-les ou transplantez-les au jardin, dès qu'il n'y a plus risque de gel.

PAR BOUTURAGE

Coupez des boutures herbacées sur les tiges non fleuries à la fin du printemps ou au début de l'automne.

OÙ PLANTER

AU JARDIN

Cette plante méditerranéenne aime un sol perméable à un endroit ensoleillé. Plantez en espaçant de 30 cm (12 po). Au début de l'automne, coupez à 20 cm (8 po) de haut après la floraison (pour empêcher la plante de devenir trop ligneuse).

EN POT

L'hysope est très décorative dans divers pots. Placez en plein soleil et à l'abri des vents froids et des grosses gelées.

QUAND RÉCOLTER

Cueillez les fleurs dès qu'elles s'ouvrent. Comme elles poussent sur de longs épis, il faut retirer chaque fleur séparément sans prendre de parties vertes. Conservez les fleurs dans l'huile, le beurre ou le vinaigre (voir p. 138) et utilisez en petites quantités.

LA GASTRONOMIE

Toute la fleur est comestible, et son goût s'harmonise bien aux plats à la saveur prononcée, où il faut un peu plus de piquant. On peut utiliser l'huile faite avec les fleurs d'hysope pour la vinaigrette et pour cuire les oignons et la viande.

CONSEIL

Plantez l'hysope dans le potager, surtout près des choux, pour attirer les mouches blanches ou, dans un vignoble, pour augmenter le rendement des vignes.

BLANCS DE POULET AUX FLEURS D'HYSOPE

pour 4 personnes

2 c. à soupe de moutarde de Dijon
2 c. à soupe de yogourt nature
4 poitrines de poulet
sel et poivre noir frais moulu
huile d'olive ou de fleurs d'hysope
fleurs d'hysope: 4 c. à soupe pour cuire;
2 c. à dessert pour décorer
jus de 1 citron

Préchauffez le four à 190 °C (375 °F). Mélangez moutarde et yogourt ensemble, puis enrobez-en les morceaux de poulet. Salez et poivrez. Huilez 4 feuilles d'aluminium et déposez un morceau de

poulet sur chacune. Mettez une couche de fleurs sur chacun et aspergez de jus de citron. Refermez l'aluminium en repliant les bouts pour retenir le liquide, et mettez au four 30 minutes sur une grille au-dessus d'une lèchefrite. Retirez du four, déposez sur des assiettes et décorez avec le reste des fleurs. Servez avec du riz ou des pâtes et une salade verte.

SALADE DE HARICOTS AVEC OLIVES ET FLEURS D'HYSOPE

pour 4 personnes
450 g (1 lb) de haricots verts
15 olives noires, dénoyautées
1 c. à soupe de feuilles d'hysope, hachées
2 c. à soupe de fleurs d'hysope blanches et bleues (sans parties vertes)

Vinaigrette
3 c. à soupe d'huile d'olive
1 c. à soupe de vinaigre d'hysope
1 gousse d'ail, écrasée
sel et poivre frais moulu

Cuisez les haricots dans l'eau bouillante 5 à 7 minutes, pour rendre *al dente.* Égouttez dans une passoire et ravivez à l'eau froide. Mettez dans un plat, couvrez et réfrigérez. Pour servir, ajoutez-y les olives ainsi que les feuilles et les fleurs d'hysope. Faites la vinaigrette en mélangeant bien tous les ingrédients. Versez sur la salade, touillez et décorez avec quelques brins d'hysope.

Lavandula angustifolia

LAVANDE

Vivace. Haut. 30-90 cm (1-3 pi). Épis très aromatiques de fleurs bleues, violettes, roses ou mauves, tout l'été. Longues feuilles étroites vert grisâtre.

Rien de plus romantique que l'arôme de la lavande dans un jardin l'été. On utilise ces fleurs de plusieurs manières. Mises dans un sachet, elles éloignent les mites des vêtements. On en fait une huile de bain qui aide à relaxer à la fin de la journée. On peut les consommer, et leur saveur aromatique délicieuse s'harmonise bien au poulet, aux desserts, aux biscuits et aux gâteaux. Recherchez aussi *L. canariensis, L. candicans, L. pinnata, L. dentata* et *L. viridis,* des lavandes douces qui ont une longue période de floraison, ainsi qu'un parfum et un goût s'approchant de ceux de l'eucalyptus.

COMMENT CULTIVER

PAR SEMIS

La lavande se cultive à partir de semis, mais le bouturage fonctionne mieux. Il faut semer les graines fraîches à l'automne dans des caissettes ou modules préparés, avec une température de fond de 4-10 °C (40-50 °F).

PAR BOUTURAGE

Coupez des boutures herbacées sur les tiges non fleuries au printemps ou des boutures semi-ligneuses au début de l'automne.

OÙ PLANTER

AU JARDIN

Toutes les espèces requièrent un sol fertile et perméable à un endroit dégagé et ensoleillé. Pour maintenir la forme de la plante, taillez chaque année au printemps et encore plus après la floraison au début de l'automne. Ne coupez pas le vieux bois s'il y a risque de gel, car la plante en souffrira.

EN POT

Si vos hivers sont froids et humides, c'est une solution idéale pour la lavande. Utilisez un terreau bien aéré et placez à un endroit ensoleillé. Fertilisez durant toute la floraison avec un engrais liquide et, l'hiver, n'arrosez pas trop.

LA GASTRONOMIE

Il faut enlever les fleurs de l'épi, en ôtant les parties vertes et brunes. Essayez le sucre de lavande (voir p. 141) dans vos recettes les plus familières pour les rajeunir. Avec ce sucre, les meringues et les biscuits deviennent tout autres. Pour le barbecue, badigeonnez les morceaux de poulet d'huile de lavande.

CONSEIL

Pour un bon bain relaxant après une dure journée, ajoutez-y six gouttes d'huile de lavande.

QUAND RÉCOLTER

Cueillez les fleurs dès qu'elles s'ouvrent et utilisez-les fraîches ou conservées dans l'huile, le sucre ou la gelée (voir p. 138).

CANARD RÔTI AVEC FARCE À LA LAVANDE

pour 6 personnes

1 canard de 1,5 kg (3 lb)
1 c. à soupe de feuilles de lavande, hachées
1 c. à dessert de fleurs de lavande (vertes ou violettes), enlevées de l'épi
50 g (2 oz) de beurre
zeste râpé et jus de 1/2 citron
sel et poivre frais moulu
150 ml (5 oz) de bouillon

Préchauffez le four à 200 °C (400 °F). Mélangez la moitié des feuilles et des fleurs à la moitié du beurre, et ajoutez zeste de citron, sel et poivre. Farcissez le canard de ce mélange et frottez-en l'extérieur avec le reste du beurre. Mettez le canard dans un plat à four, versez autour la moitié du bouillon, puis faites rôtir au four 15 minutes par 500 g (1 lb) et 15 minutes de plus. Arrosez souvent. Quand le canard est cuit, retirez-le du plat. Dégraissez le jus de cuisson et ajoutez-y le reste du bouillon et des feuilles, et le jus de citron. Faites mijoter pour réduire et obtenir une sauce épaisse. Salez et poivrez au goût. Filtrez à la passoire et versez sur le canard. Décorez avec le reste des fleurs et quelques brins de lavande (facultatif).

GELÉE DE POMMETTES ET FLEURS DE LAVANDE

donne 4 bocaux de 450 g (1 lb)

1,75 kg (4 lb) de pommettes
1,5 kg de sucre (voir recette)
8 c. à soupe de fleurs de lavande
1 c. à soupe de fleurs de lavande, pour ajouter à la gelée

Lavez et hachez les pommettes, mettez dans une casserole et ajoutez assez d'eau pour couvrir. Portez à ébullition et laissez mijoter 20 à 30 minutes, pour réduire en purée. Versez dans un sac à gelée ou d'étamine et laissez égoutter dans un grand bol jusqu'au lendemain. Mesurez le jus et ajoutez-y 450 g (1 lb) de sucre par 600 ml (2 1/2 t.) de volume, puis versez dans une casserole et faites mijoter avec les fleurs dans un sachet d'étamine. Cuisez environ 20 minutes, en remuant, jusqu'au point de prise. Enlevez le sachet de fleurs et écumez. Versez rapidement à la louche dans des bocaux chauds stérilisés, puis scellez tout de suite. Étiquetez et datez.

Lonicera caprifolium
CHÈVREFEUILLE

Vigne grimpante vivace à feuilles caduques. Haut. jusqu'à 6 m (20 pi). Les boutons floraux sont roses à l'éclosion, puis les fleurs deviennent blanches, roses et jaunes.

Le chèvrefeuille me rappelle de beaux souvenirs. Enfant, je prenais ses fleurs et en suçais le nectar, d'une merveilleuse saveur sucrée. L'herbier de John Gerard note au XVIe siècle que ces fleurs, macérées dans l'huile et appliquées sur le corps, sont bonnes pour la circulation. *Lonicera peryclymenum,* l'autre chèvrefeuille sauvage, a des fleurs jaunes aussi aromatiques et comestibles que celles de *Lonicera caprifolium,* et on peut les utiliser de la même manière.

COMMENT CULTIVER

PAR SEMIS

Semez les graines à l'automne sur le dessus de caissettes ou modules préparés. Couvrez d'une vitre ou d'un plastique et faites hiverner au frais. Notez que la germination peut prendre jusqu'à deux saisons.

PAR BOUTURAGE

Coupez des boutures sur les jeunes tiges non fleuries en été et faites enraciner dans un terreau d'écorce, de sable et de tourbe. Ou coupez des boutures semi-ligneuses à la fin de l'automne et placez-les dans une serre fraîche pour l'hiver.

OÙ PLANTER

AU JARDIN

Cette plante très tolérante poussera bien dans les endroits les plus difficiles. Plantez à l'automne ou au printemps dans un sol fertile et perméable à un endroit ensoleillé ou semi-ombragé avec, idéalement, la tête au soleil et la base à l'ombre. Taillez au début du printemps et, après la floraison, coupez les rameaux à fleurs.

EN POT

Le chèvrefeuille y pousse bien, soutenu par un tuteur ou un treillis. Utilisez un terreau d'écorce et de tourbe, et arrosez régulièrement l'été, mais moins l'hiver.

QUAND RÉCOLTER

Les fleurs sont le plus savoureuses quand leur couleur est au plus pâle et qu'elles contiennent encore leur nectar. On peut faire sécher ces fleurs; pour ce faire, cueillez-les dès qu'elles s'ouvrent (voir p. 146).

LA GASTRONOMIE

Ces fleurs sucrées et très parfumées sont délicieuses dans les salades de fruits et se marient bien aux poires, pommes et raisins. Un sirop préparé avec ces fleurs (voir p. 141) est excellent, surtout sur les crêpes sucrées. Le sucre de fleurs de chèvrefeuille (voir p. 141) est très bon en pâtisserie.

SALADE DE CAROTTES ET CHÈVREFEUILLE

pour 4 personnes

250 g (1/2 lb) de carottes
1 pincée de sucre et de sel
6 c. à soupe de fleurs de chèvrefeuille (sans parties vertes)

Vinaigrette

4 c. à soupe d'huile d'olive
1 c. à soupe de vinaigre au thym
1/4 c. à thé de moutarde de Dijon
1 petite gousse d'ail, écrasée
sel et poivre frais moulu

Mélangez bien ensemble les ingrédients de la vinaigrette. Coupez les carottes en julienne. Mettez dans une casserole avec le sucre, le sel et assez d'eau pour couvrir. Portez à ébullition et laissez mijoter sans couvercle 5 minutes. Égouttez et mettez dans un bol, puis incorporez vinaigrette, sel et poivre. Réfrigérez plusieurs heures pour que les carottes absorbent la vinaigrette. Avant de servir, ajoutez les fleurs.

MUFFINS AU CHÈVREFEUILLE

donne 18 muffins

100 g (4 oz) de margarine molle
100 g (4 oz) de sucre ordinaire ou de sucre de chèvrefeuille
2 œufs moyens
100 g (4 oz) de farine avec levure
1 c. à thé de levure chimique (poudre à pâte)

Glaçage

225 g (8 oz) de sucre à glacer
2-4 c. à soupe d'eau chaude
90 fleurs de chèvrefeuille

Préchauffez le four à 160 °C (325 °F). Mettez margarine, sucre, œufs, farine tamisée et levure dans un bol. Mélangez avec une cuiller de bois ou un mélangeur à main, pour rendre homogène. Déposez à la cuiller dans 18 petits moules en papier placés dans des moules à muffin. Mettez au four 15 à 20 minutes, pour faire lever et affermir, puis laissez refroidir sur une grille.

Tamisez le sucre à glacer dans un bol. En battant, incorporez graduellement assez d'eau pour obtenir un glaçage lisse et assez épais pour couvrir le dos d'une cuiller (ajoutez plus de sucre ou d'eau, si nécessaire). Étendez tout de suite un peu de glaçage sur les muffins refroidis et déposez 5 fleurs sur chacun, qui adhéreront au glaçage quand il sera pris.

Mentha

MENTHE

❖

Vivace. Haut. 15-60 cm (6-24 po). Minuscules fleurs roses, violettes, mauves et blanches poussant en verticilles ou en longs épis l'été. Feuilles au parfum de menthe.

Les fleurs de menthe ont un goût délicieux, qui diffère selon l'espèce: la menthe verte *(Mentha spicata)* a une saveur très franche comme la gomme à mâcher; la menthe poivrée *(M. piperita)* est plus fruitée, comme le peppermint; la menthe-gingembre *(M. gracilis)* est plus chaleureuse. Il en existe bien d'autres encore, dont *M. spicata* «Moroccan» et *M. spicata* «Crispa Tashkent». On peut toutes les utiliser pour des salades et des plats salés ou sucrés.

COMMENT CULTIVER

PAR SEMIS

On peut cultiver la menthe à partir des graines, mais les plants seront de qualité inférieure à ceux obtenus par division ou bouturage.

PAR DIVISION

Divisez les plantes adultes chaque deux ou trois ans. Si vous les changez d'emplacement, enlevez bien toutes les racines, sinon celles-ci referont de nouvelles plantes au même endroit.

PAR BOUTURAGE

Déterrez une racine et coupez-y des boutures là où se trouve un nœud de croissance. Plantez les boutures dans des pots, caissettes ou modules préparés. Arrosez bien et placez dans un endroit tiède. Si vous faites ceci au printemps, les nouvelles pousses apparaîtront en deux semaines.

OÙ PLANTER

AU JARDIN

Plantez la menthe avec soin. Elle peut se répandre dans votre jardin à une vitesse surprenante. Elle préfère un endroit ensoleillé ou semi-ombragé et un bon sol. Mais elle peut pousser partout (quoique, dans un sol calcaire très humide, elle puisse mourir après deux ou trois ans).

EN POT

La menthe y pousse très bien. Assurez-vous d'en choisir un qui soit assez gros et ne laissez pas le terreau s'assécher. Placez dans un endroit semi-ombragé et rempotez chaque année.

QUAND RÉCOLTER

La menthe fleurit tout l'été, et certaines espèces jusqu'à l'automne. Il vaut mieux cueillir les fleurs le jour où l'on compte s'en servir, car elles perdent leur saveur dans le réfrigérateur et le congélateur. Vous pouvez les conserver dans l'huile, le beurre ou le vinaigre (voir p. 138).

LA GASTRONOMIE

Ces minuscules fleurs ont beaucoup de goût. Elles ajoutent une touche spéciale aux fraises fraîches, salades vertes, salades de fruits, mousses, crèmes et gâteaux au chocolat.

CONSEIL

Ne plantez pas ensemble différentes variétés de menthe. À la longue, elles perdront leur saveur individuelle et goûteront la même chose.

TZATZIKI À LA MENTHE

1/2 concombre, pelé et coupé en dés
140 g (4 oz) de yogourt nature
1 gousse d'ail, écrasée
1 c. à soupe de feuilles de menthe-gingembre, hachées
1 c. à soupe de fleurs de menthe-gingembre (enlevées de la sommité fleurie et sans parties vertes)
sel et poivre frais moulu
4 fleurs et 4 feuilles entières de menthe-gingembre, pour décorer

Mettez le concombre dans une passoire, parsemez de sel et laissez dégorger 30 minutes. Rincez à l'eau froide, égouttez bien et séchez sur du papier absorbant. Déposez le concombre dans un plat de service, ajoutez yogourt, ail, sel, poivre, fleurs et feuilles de menthe, puis mélangez bien. Couvrez et réfrigérez. Au moment de servir, décorez avec les feuilles et fleurs entières.

MOUSSE AU CHOCOLAT À LA MENTHE

pour 4 personnes
100 g (4 oz) de chocolat noir
2 œufs
1 c. à thé de café instantané
1 c. à thé de menthe fraîche, hachée
Crème fouettée, pour décorer
feuilles et fleurs de menthe, pour décorer

Faites fondre le chocolat dans un bain-marie (ou au four à micro-ondes) pour le rendre lisse et liquide, puis retirez du feu. Battez les jaunes d'œufs et ajoutez au chocolat encore chaud (cela cuira un peu les jaunes), puis incorporez café et menthe. Laissez refroidir 15 minutes. Montez les blancs en neige et incorporez au mélange de chocolat avec une cuiller de métal. Versez dans des coupes, puis décorez avec crème fouettée, feuilles et fleurs.

Monarda didyma

MONARDE

Vivace. Haut. 45 cm (18 po). Superbes fleurs rouges, roses, blanches ou violettes, tout l'été. Feuilles aromatiques.

Les splendides fleurs de monarde embelliront tout jardin potager et toute plate-bande. Elles dégagent un parfum distinctif, qui masque leur goût très fort: une combinaison d'épices, de thym et de menthe. Utilisez les pétales en petite quantité dans les salades et les pâtes, ou avec les légumes et le poisson. Il existe plusieurs variétés sauvages et cultivées très intéressantes: entres autres *Monarda* «Croftway Pink», aux belles fleurs roses, et *Monarda fistulosa,* aux délicates fleurs mauves et à la saveur très forte.

COMMENT CULTIVER

PAR SEMIS

Semez les graines au printemps dans des caissettes ou modules protégés. Il leur faut une température de 21 °C (70 °F) pour germer. Ne plantez à l'extérieur que lorsque le sol se réchauffe et qu'il n'y a plus risque de gel.

PAR BOUTURAGE

C'est la meilleure méthode pour propager les variétés cultivées. Ce doit être fait au début de l'été, quand les pousses font 7,5-10 cm (3-4 po) de long.

PAR DIVISION

Divisez les plants adultes (de trois ans environ) au début du printemps. Replantez dans le jardin à un endroit bien préparé, où on a ajouté beaucoup de compost. Plantez à une distance de 45 cm (18 po) des autres plantes.

OÙ PLANTER

AU JARDIN

Toutes les monardes poussent bien dans un sol humide et bien fertilisé à un endroit semi-ombragé, mais elles n'aiment pas les sols calcaires. À l'automne, coupez les plantes au ras du sol et fertilisez avec du fumier ou du compost.

EN POT

Malgré sa hauteur, cette plante peut être très décorative dans un gros pot de 35-45 cm (14-18 po) de diamètre. Placez-le à un endroit semi-ombragé et ne laissez pas le sol s'assécher.

QUAND RÉCOLTER

Coupez les fleurs dès qu'elles sont complètement ouvertes. On peut les utiliser fraîches ou séchées. Elles sèchent très bien, en gardant leur couleur (voir p. 146). Conservez les pétales dans un bocal foncé hermétique, qui préservera leur saveur environ trois mois. On peut aussi les conserver dans l'huile ou le vinaigre (voir p. 142).

LA GASTRONOMIE

Les fleurs de monarde peuvent avoir beaucoup de goût, surtout celles de *Monarda fistulosa*: n'en mettez pas trop! Leur goût robuste relève bien le porc, le poisson et le poulet. La recette qui suit peut être adaptée à tous les poissons blancs au goût prononcé.

CONSEIL

Attention aux limaces, qui infestent toutes les variétés de monardes, surtout au printemps.

CI-CONTRE: morue à la monarde

MORUE À LA MONARDE

pour 4 personnes
4 darnes de morue (ou flétan)
40 g (1 1/2 oz) de beurre
1 c. à soupe d'huile d'olive
1 c. à soupe de feuilles de monarde, hachées
1 c. à dessert de farine
1 c. à soupe de fleurs de monarde, pour la sauce, et quelques-unes pour décorer (enlevées de la tête et sans parties vertes)
150 ml (5 oz) de vin blanc

Rincez les morues et asséchez. Chauffez beurre et huile dans une grande poêle. Ajoutez-y la morue ainsi que les feuilles et les fleurs de monarde. Cuisez les darnes 5 minutes de chaque côté à feu modéré, pour faire brunir légèrement, puis déposez sur un plat de service chaud. Incorporez la farine au jus de cuisson dans la poêle et mélangez 1 minute, puis ajoutez le vin blanc en remuant. Portez à ébullition et cuisez 2 minutes. Versez sur le poisson et décorez avec les fleurs.

SALADE DE BOULGOUR ET MONARDE

pour 4 à 6 personnes
100 g (4 oz) de boulgour
2 bottes d'oignons verts, hachés
225 g (8 oz) de tomates, pelées et hachées
1 c. à dessert de fleurs de monarde (sans parties vertes)
1 c. à thé de feuilles de monarde, hachées
4 c. à soupe d'huile d'olive
3 c. à soupe de jus de citron
sel et poivre noir frais moulu
1 fleur de monarde entière, pour décorer

Faites trempez le boulgour dans l'eau froide 30 minutes, puis égouttez en pressant bien. Mettez dans un bol, ajoutez oignons verts, tomates, feuilles et fleurs de monarde en les malaxant, puis incorporez huile, jus de citron, sel et poivre. Mélangez bien. Décorez avec la fleur de monarde au centre. Servez comme entrée ou plat principal léger.

Myrrhis odorata

CERFEUIL MUSQUÉ

Vivace. Haut. 60-90 cm (2-3 pi). Petites fleurs blanc crème odorantes en grandes ombelles, du printemps au début de l'été. Feuilles vertes aromatiques en forme de fougère.

Le cerfeuil musqué est connu depuis longtemps comme une plante sucrée, car ses feuilles contiennent beaucoup de saccharine. Les feuilles et les fleurs ont un goût d'anis et se marient bien à divers plats de fruits: groseilles à maquereau, prunes, rhubarbe. Elles font aussi un bon vin.

COMMENT CULTIVER

PAR SEMIS

Quand elles mûrissent au début de l'automne, semez les graines dans des caissettes ou modules préparés. Il leur faut plusieurs mois de température hivernale froide pour germer. Durant l'hiver, ne laissez pas le sol s'assécher, ni les souris dévorer les graines.

PAR DIVISION

Divisez les racines matures à l'automne.

PAR BOUTURAGE

Coupez des boutures sur les racines au printemps ou à l'automne.

OÙ PLANTER

AU JARDIN

Le cerfeuil musqué est une plante indigène d'Europe qui peut envahir des jardins au sol pauvre et léger. Elle ne pousse pas bien dans les terrains humides. Plantez-la dans un sol riche en humus dans un endroit légèrement ombragé.

EN POT

Cette plante a une longue racine pivotante, et il lui faut un grand bac assez profond. Placez à un endroit semi-ombragé et ne laissez pas le sol s'assécher pendant la période de croissance.

QUAND RÉCOLTER

Cueillez les fleurs jeunes et fraîches; conservez-les dans le sucre et le sirop, ou faites-en une gelée (voir p. 138).

LA GASTRONOMIE

Toute la petite fleur est comestible. Enlevez chaque fleur de l'ombelle, en vous débarrassant des parties vertes. Leur goût d'anis est délicieux dans les plats de fruits acidulés: mélangez-en, par exemple, à la compote de pommes, à la crème aux prunes ou aux tartes à la rhubarbe.

CONSEIL

Cette plante, la première des plantes à nectar à apparaître au printemps, est vitale pour les abeilles.

CRÈME AUX GROSEILLES ET CERFEUIL MUSQUÉ

pour 4 personnes
150 ml (5 oz) de crème à fouetter
2 blancs d'œufs
150 ml (5 oz) de yogourt nature
2 c. à soupe de sucre
450 g (1 lb) de groseilles rouges
1 c. à soupe de feuilles de cerfeuil musqué, hachées fin
2 c. à soupe de fleurs de cerfeuil musqué

Fouettez la crème et montez les blancs d'œufs en neige ferme. Battez bien le yogourt. Incorporez délicatement les blancs d'œufs à la crème fouettée, puis ajoutez le yogourt. Sucrez le mélange. Lavez et égouttez les groseilles, en enlevant les tiges. Incorporez au mélange, puis ajoutez les feuilles et la moitié des fleurs. Versez dans des coupes et décorez avec le reste des fleurs.

FRAISES ET FLEURS DE CERFEUIL MUSQUÉ

pour 4 personnes
450 g (1 lb) de fraises, lavées et équeutées
sucre au goût (facultatif)
1 c. à soupe de fleurs de cerfeuil musqué

Mettez les fraises dans un compotier. Sucrez au goût et parsemez les fleurs dessus. Réfrigérez, puis servez.

Myrtus communis

MYRTE COMMUN

❖

Vivace à feuilles persistantes. Haut. 2-3 m (6-10 pi).
Fleurs blanches parfumées, du printemps au milieu de l'été.
Petites feuilles aromatiques vert luisant.

Ces belles fleurs odorantes étaient incluses traditionnellement dans le bouquet de la mariée. Elles ont une saveur épicée chaleureuse qui s'harmonise bien avec les viandes légères et les poissons au goût fort. Elles sont intéressantes aussi avec les fruits. Les fleurs de *Myrtus communis* «Variegata», de *Myrtus communis* ssp. *Tarentina* et de *Myrtus communis Tarentina* «Variegata» sont aussi comestibles et ont le même goût que celles du myrte commun.

COMMENT CULTIVER

PAR SEMIS

Dans les climats tempérés, le myrte ne se cultive pas bien par semis. Semez les graines au printemps dans des caissettes ou modules préparés. Quand les plantules sont assez grandes, empotez-les ou transplantez-les à l'extérieur, s'il fait assez chaud. Protégez durant les premiers hivers.

PAR BOUTURAGE

Coupez des boutures herbacées au printemps. Quand elles sont enracinées, empotez-les et gardez en pot deux ans avant de planter au jardin.

OÙ PLANTER

AU JARDIN

Plantez dans un sol fertile et perméable à un endroit très ensoleillé. Protégez contre les gelées; si la température descend plus bas que -2 °C (28 °F), déterrez les plantes et placez-les dans une serre fraîche. Replantez le printemps suivant.

EN POT

Dans les régions au climat froid, il vaut mieux planter le myrte en pot, où il sera très joli. Placez-le à un endroit très ensoleillé. Arrosez bien durant l'été; en hiver, n'arrosez pas trop et mettez dans une serre fraîche.

QUAND RÉCOLTER

Cueillez les fleurs quand elles viennent d'ouvrir. Vous pouvez les utiliser fraîches, conserver les pétales dans le sucre ou cristalliser la fleur entière (voir p. 141).

LA GASTRONOMIE

Les seules parties vraiment comestibles de la fleur sont les pétales. Mais la fleur entière cristallisée est ravissante et peut être utilisée pour décorer gâteaux et desserts.

CONSEIL

Dans le langage des fleurs, le myrte symbolise l'amour et la fidélité. C'est pourquoi toute mariée devrait en mettre un brin dans son bouquet le jour de son mariage.

AVOCAT ET MYRTE

pour 4 personnes
2 avocats mûrs
1 laitue verte
2 tomates
4 fleurs entières de myrte
1 c. à soupe de pétales de fleur de myrte

Vinaigrette
3 c. à soupe d'huile d'olive ou de thym
1 c. à soupe de vinaigre de vin blanc
1/2 c. à soupe de feuilles de myrte, hachées fin
sel et poivre

Coupez les avocats en deux, pelez et dénoyautez. Disposez les feuilles de laitue sur 4 assiettes et posez sur chacune un demi-avocat, partie coupée vers le haut. Pelez et coupez en deux les tomates, puis tranchez fin et disposez autour des avocats. Préparez la vinaigrette en mélangeant ensemble huile, vinaigre, feuilles de myrte, sel et poivre. Arrosez la cavité des avocats de vinaigrette et mettez une fleur dans chacune. Aspergez les tomates de vinaigrette et parsemez de pétales de fleurs.

CÔTES DE PORC AVEC FLEURS DE MYRTE

pour 8 personnes
15 g (1/2 oz) de beurre
1 c. à soupe d'huile de tournesol
1 gros oignon, émincé
1 gousse d'ail, écrasée
8 côtes de porc
30 g (1 oz) de farine
300 ml (1 1/4 t.) de vin blanc
1 c. à soupe de feuilles de myrte, hachées fin
1 c. à soupe de pétales de fleur de myrte
6 fleurs de myrte entières, pour décorer

Préchauffez le four à 180 °C (350 °F). Faites fondre le beurre dans une grande poêle, ajoutez oignon et ail, et cuisez jusqu'à ce qu'ils soient translucides. Retirez de la poêle en y laissant le gras, et réservez. Faites brunir le porc 4 à 5 minutes de chaque côté. Déposez dans un plat à four couvert et gardez au chaud. Incorporez la farine au jus de cuisson dans la poêle et cuisez à feu doux 1 minute ou plus. Ajoutez le vin en remuant, et portez à ébullition. Mettez dans la sauce feuilles de myrte, oignon et ail, laissez mijoter 2 minutes, puis versez sur le porc, couvrez et mettez au four 25 minutes. Retirez du four et disposez la viande sur un plat de service. Dégraissez la sauce, remuez et versez sur la viande. Parsemez de pétales et de fleurs de myrte. Servez avec une purée de pommes de terre et du brocoli.

Nepeta cataire

NÉPÈTE CATAIRE, HERBE AUX CHATS

Vivace. Haut. 45-100 cm (18-36 po). Fleurs blanc rosé, du début de l'été au début de l'automne. Feuilles vertes aromatiques aux bords dentés.

La népète cataire, ou herbe aux chats, attire ces félins qui, après en avoir mangé, tombent en extase. Mais la consommation de ses petites fleurs ne produit pas le même effet chez les humains. Elles ont une saveur aromatique de menthe épicée: il ne faut pas trop en mettre dans vos recettes. Elles se combinent bien aux pâtes, au riz ou aux légumes, dont elles relèvent le goût. Les fleurs bleues de *N. x faassenii* et de *N. racemosa,* ainsi que les fleurs roses de *N. cataria* «Citriodora» sont toutes comestibles, avec des goûts un peu différents. Cette dernière, à la saveur de citron, menthe et thym, accompagne bien le poisson.

COMMENT CULTIVER

PAR SEMIS

Semez les graines au printemps ou à la fin de l'été dans des caissettes ou modules préparés. Une température de fond de 15-21 °C (60-70 °F) facilitera la germination.

PAR DIVISION

Divisez les plantes adultes au début de l'automne. Attention à l'invasion des chats du voisinage pendant cette opération, car l'odeur des racines flétries les attirera de façon irrésistible.

PAR BOUTURAGE

Coupez des boutures herbacées sur le bout des nouvelles tiges non fleuries de la fin du printemps jusqu'au début de l'été.

OÙ PLANTER

AU JARDIN

Toutes les népètes aiment un sol perméable, à un endroit ensoleillé ou légèrement ombragé. Mais elles ne supportent pas l'humidité en hiver et pourriront si elles ont trop d'eau. Plantez à une distance de 50 cm (20 po) des autres plantes.

EN POT

Les fleurs bleues de *N. x faassenii* et de *N. racemosa* sont très jolies en pot. Taillez-les toujours après la floraison et placez-les dans un endroit ensoleillé ou semi-ombragé.

QUAND RÉCOLTER

Utilisez les fleurs fraîches ou conservées dans l'huile ou le vinaigre (voir p. 142). Elles font aussi une bonne gelée (voir p. 141) qui accompagne bien les viandes (surtout l'agneau).

LA GASTRONOMIE

Toute la fleur est comestible. Pour la préparer, enlevez les parties vertes, sinon son goût sera moins bon. La feuille et la tige ont une saveur plus forte.

CONSEIL

Une souris de tissu contenant des feuilles séchées de népète cataire amusera les chats des heures durant.

BISCUITS AUX FLEURS D'HERBE AUX CHATS

donne environ 14 biscuits

100 g (4 oz) de beurre
50 g (2 oz) de sucre
175 g (6 oz) de farine avec levure
1 pincée de sel
1 c. à soupe de fleurs d'herbe aux chats, séparées en fleurettes individuelles

Préchauffez le four à 230 °C (450 °F). Battez ensemble sucre et beurre, pour rendre crémeux, puis incorporez-y farine et sel. Pétrissez cette pâte, étendez-la au rouleau, parsemez les fleurs dessus, puis repassez le rouleau. Découpez la pâte avec un emporte-pièce de 7,5 cm (3 po), puis déposez sur une plaque à biscuits beurrée. Mettez au four 10 à 12 minutes et laissez refroidir sur une grille.

SALADE DE POMMES DE TERRE ET DE FLEURS D'HERBE AUX CHATS

pour 4 personnes

900 g (2 lb) de pommes de terre
300 ml (1 1/4 t.) de mayonnaise
2 c. à soupe de fleurs d'herbe aux chats, séparées en fleurettes individuelles

Pelez les pommes de terre et coupez en morceaux, puis plongez dans une casserole d'eau bouillante salée et cuisez 10 à 15 minutes (elles doivent être encore fermes). Égouttez, refroidissez et coupez en dés. Mettez la mayonnaise dans un bol et incorporez-y la moitié des fleurs. Ajoutez les pommes de terre et touillez bien. Couvrez et réfrigérez au moins 1 heure. Pour servir, décorez avec le reste des fleurs.

Ocimum basilicum

BASILIC

Annuelle délicate. Haut. 23-45 cm (9-18 po). Fleurs violettes, roses et blanches, en été. Feuilles vertes ou violettes très aromatiques.

Cette plante est de plus en plus populaire. Il existe plusieurs variétés de basilic: *O. basilicum* «Cinnamon» (à la cannelle), *O. basilicum* var. *Citriodorum* (au citron), *O. basilicum* «Napolitano» (à feuilles de laitue), *Ocimum* «Horapha» (de Thaïlande), etc. Pour favoriser la croissance des feuilles, cueillez les fleurs, qui ont le même goût que les feuilles. En général, les fleurs possèdent une saveur plus douce que les feuilles, mais elles rehaussent quand même très bien les plats à la tomate, le riz, les pâtes, le poulet, le poisson et les légumes.

COMMENT CULTIVER

PAR SEMIS

Ne semez pas trop tôt, car même une petite baisse de température entre le jour et la nuit peut endommager le basilic. Attendez que la température soit uniforme à la fin du printemps. Semez les graines sur la surface de caissettes ou modules et arrosez modérément (jamais après midi).

Le basilic craint l'humidité excessive et ne supporte pas d'être mouillé la nuit.

OÙ PLANTER

AU JARDIN

Ne semez directement dans le jardin que si la température ne descend pas sous 13 °C (55 °F) la nuit. L'emplacement pour le basilic doit être soigneusement préparé et bien labouré. Il lui faut un sol riche et perméable, ainsi qu'un endroit assez chaud et protégé, de préférence ensoleillé au milieu de la journée.

EN POT

Le basilic pousse très bien dans une jardinière sous la fenêtre ou dans un pot près de la porte arrière si celle-ci est en plein soleil. Dans le sud de l'Europe, on place le basilic près des entrées de la maison pour repousser les mouches. Arrosez bien, mais pas trop, au milieu de la journée.

QUAND RÉCOLTER

Si vous cueillez constamment les fleurs de basilic pour encourager la croissance des feuilles, vous en aurez une récolte modeste mais continuelle. On ne peut pas congeler les fleurs et il ne vaut pas la peine de les faire sécher. Utilisez-les plutôt pour faire une huile ou un vinaigre floral (voir p. 142), tous deux excellents pour les vinaigrettes et les sautés.

LA GASTRONOMIE

Ces fleurs s'harmonisent bien à différents plats: utilisez, par exemple, des fleurs de basilic-citron dans la salade au thon et celles du basilic «Horapha» dans le sauté de porc. Et, pour goûter à la saveur du basilic sans interférence, essayez les recettes qui suivent.

CONSEIL

Pour éloigner les moustiques, frottez votre peau avec des feuilles de basilic écrasées.

CRÈME FRAÎCHE AU BASILIC VIOLET

1 petit contenant de crème fraîche
10 feuilles de basilic violet, hachées
1 c. à soupe de fleurs de basilic violet
1 laitue iceberg (batavia)

Mélangez ensemble crème fraîche, feuilles et fleurs de basilic. Déposez le mélange au centre d'une feuille de laitue. Utilisez comme trempette ou comme garniture de pommes de terre en robe des champs.

SALADE CAPRESE AVEC FLEURS DE BASILIC

pour 3 à 4 personnes
450 g (1 lb) de grosses tomates
225 g (1/2 lb) de mozzarella
sel et poivre noir frais moulu
1 c. à soupe de vinaigre de vin blanc
3 c. à soupe d'huile au basilic
6 feuilles de basilic, hachées fin
2 c. à soupe de fleurs de basilic
6 olives noires, dénoyautées

Pelez les tomates et tranchez fin. Disposez sur un plat de service. Salez et poivrez. Coupez le fromage en tranches fines et disposez sur les tomates. Mélangez ensemble huile et vinaigre, puis aspergez-en la salade. Parsemez dessus feuilles et fleurs de basilic, puis décorez avec les olives.

SAUCE PESTO

pour 4 personnes
1 c. à soupe de pignons
4 c. à soupe de feuilles de basilic, hachées
2 gousses d'ail, écrasées
6 c. à soupe d'huile d'olive
75 g (3 oz) de parmesan, râpé
sel et poivre frais moulu
1 c. à soupe de fleurs de basilic

Écrasez bien ensemble pignons, feuilles de basilic et ail. Incorporez graduellement l'huile pour obtenir une pâte épaisse. Ajoutez fromage, sel, poivre et fleurs (gardez-en quelques-unes pour décorer).

Œnothera biennis

ONAGRE BISANNUELLE

Bisannuelle rustique. Haut. 90-120 cm (3-4 pi). Grandes fleurs jaunes, odorantes le soir, presque tout l'été. Longues feuilles vertes ovales lancéolées.

Ces fleurs jaune fluorescent embaument l'air du soir de leur doux parfum, mais leur saveur de laitue est assez quelconque. Toutefois, elles sont très décoratives sur les salades, le fromage à la crème, le concombre et les aliments au goût discret. Une autre variété d'onagre intéressante à cultiver est la plante basse *Œnothera macrocarpa*, mais seuls ses pétales sont comestibles.

COMMENT CULTIVER

PAR SEMIS

Semez les graines au début du printemps sur la surface de pots ou modules préparés. Quand il n'y a plus risque de gel, transplantez les plantules dehors avec un espacement de 30 cm (12 po).

OÙ PLANTER

AU JARDIN

L'onagre pousse bien dans presque tous les sols, mais elle préfère qu'il soit perméable et dans un coin sec et ensoleillé. Notez que cette plante ne fait pas de dispersion naturelle des graines.

EN POT

Comme *Œnothera macrocarpa* est une plante basse, elle est très jolie en pot ou dans une jardinière et se combine bien avec d'autres plantes ornementales.

QUAND RÉCOLTER

Cueillez tout l'épi avec ses fleurs et mettez dans l'eau en attendant de vous en servir. Ces fleurs se referment très vite, alors placez-les au soleil. Utilisez-les fraîches, car il est difficile d'en faire des conserves. Toutefois, comme la plante fleurit beaucoup, vous en aurez une bonne récolte presque tout l'été.

LA GASTRONOMIE

Toute la fleur est comestible, une fois les parties vertes enlevées. Comme pour l'hémérocalle, on peut consommer le bouton floral ou la fleur. Sa saveur de laitue se marie bien à plusieurs plats, et ses fleurs jaunes sont superbes dans une salade verte.

CONSEIL

Les jeunes feuilles et les racines sont aussi comestibles. Ces dernières ont un goût de panais (un avantage, si elles sont envahissantes).

FÈVES AVEC FLEURS D'ONAGRE

pour 4 personnes

450 g (1 lb) de jeunes fèves
50 g (2 oz) de beurre
1 c. à thé de jus de citron
sel et poivre noir frais moulu
1 c. à soupe de pétales de fleur d'onagre
6 fleurs d'onagre entières (sans parties vertes)

Les fèves seront cuites dans leurs gousses, qui doivent être minces et de 10-13 cm (4-5 po) de long. Enlevez les deux bouts, puis coupez en diagonale en trois ou quatre morceaux. Mettez dans une passoire et lavez à l'eau froide. Portez à ébullition un faitout d'eau et plongez-y les fèves. Faites mijoter environ 8 minutes, pour attendrir, puis égouttez. Remettez le faitout vide sur le feu et mettez-y le beurre, puis les fèves. Touillez, en incorporant jus de citron, sel et poivre.

Ajoutez les pétales de fleurs et disposez sur un plat de service. Décorez avec les fleurs entières et servez.

CONCOMBRE, MENTHE ET FROMAGE FRAIS AVEC FLEURS D'ONAGRE

pour 4 à 6 personnes

2 gros concombres
sel
125 ml (5 oz) de fromage frais
3 c. à soupe de menthe verte, hachée
6 boutons floraux d'onagre, tranchés
6 fleurs d'onagre entières (sans parties vertes)

Coupez un concombre en dés. Pelez l'autre et coupez-le en bâtonnets. Mettez les morceaux de concombre dans une grande passoire et parsemez de sel. Laissez dégorger au moins 30 minutes, puis rincez à l'eau froide et asséchez avec du papier absorbant. Dans un bol, mélangez fromage frais, menthe, concombre en dés et boutons floraux. Déposez le mélange dans un plat de service, couvrez et réfrigérez. Pour servir, décorez avec bâtonnets de concombre et fleurs d'onagre entières.

Origanum vulgare

ORIGAN, MARJOLAINE BÂTARDE

Vivace. Haut. 23-45 cm (9-18 po). Minuscules grappes de fleurs tubulaires mauves, roses ou blanches, en été. Feuilles aromatiques vert foncé, légèrement velues.

Les fleurs d'origan et de marjolaine se ressemblent, mais leur goût diffère selon les espèces. Ainsi, la marjolaine cultivée, O. *marjorana*, a de petites fleurs blanches à saveur relevée mais douce. L'origan méridional, O. ssp. *hirtum*, a par contre des fleurs blanches qui sont très épicées et qu'on doit utiliser avec parcimonie. Et les fleurs roses de la marjolaine bâtarde «Aureum» ont un goût piquant et chaleureux. Toutes ces fleurs se marient bien aux plats de poulet, de poisson et de légumes.

COMMENT CULTIVER

PAR SEMIS

Semez les graines au printemps dans des caissettes ou modules préparés. Ne couvrez pas de terreau ou de vermiculite. Une température de fond de 15 °C (60 °F) facilitera la germination. Quand les plantules sont encore jeunes, arrosez parcimonieusement.

PAR BOUTURAGE

Coupez des boutures herbacées sur les nouvelles tiges au printemps.

PAR DIVISION

Divisez les plantes adultes au printemps ou au début de l'automne. Replantez quand il le faut.

OÙ PLANTER

AU JARDIN

Plantez l'origan et la marjolaine dans un sol perméable à un endroit ensoleillé. La seule exception est la variété «Aureum» qui préfère un peu d'ombre, pour empêcher ses feuilles de brûler.

EN POT

Toutes les espèces d'*Origanum* sont très décoratives en pot ou en jardinière. Utilisez un terreau perméable et n'arrosez pas trop. Taillez après la floraison pour encourager la croissance.

QUAND RÉCOLTER

Cueillez les petites fleurs dès qu'elles s'ouvrent. La meilleure façon de les préserver est de les conserver dans l'huile, le beurre ou le vinaigre (voir p. 138).

LA GASTRONOMIE

Une fois détachée, toute la fleur est comestible, mais débarrassez-la d'abord de ses parties vertes. Ces fleurs ont un goût très fort: utilisez-les en petites quantités. Les deux recettes suivantes montrent leurs usages très variés en cuisine.

CONSEIL

Faites une infusion avec les feuilles et ajoutez-la à l'eau du bain pour relaxer le dos et les muscles.

TRUITE MARINÉE AVEC FLEURS D'ORIGAN MÉRIDIONAL

pour 4 personnes

2 truites (sans tête ni queue) ou
8 filets de truite

Marinade

300 ml (1 1/4 t.) de vin blanc sec
4 c. à soupe de vinaigre de fleurs d'origan
1 échalote
1 carotte
1 gousse d'ail
1 feuille de laurier
6 grains de poivre noir
3 brins de persil plat
2 brins d'origan méridional

Sauce
6 c. à soupe de crème sure ou fraîche
1 pincée de moutarde en poudre
poivre noir frais moulu
sel de mer
2 c. à soupe de fleurs roses d'origan, pour décorer

Déposez la truite dans une sauteuse avec couvercle. Mettez tous les éléments de la marinade dans une petite casserole et portez à ébullition. Faites mijoter 20 minutes, puis versez sur la truite. Cuisez encore 10 minutes, puis laissez refroidir la truite dans la marinade.

Quand c'est froid, retirez la truite, filtrez la marinade dans une passoire et réservez pour la sauce. Si vous utilisez des poissons entiers, enlevez la peau et les arêtes, puis coupez en 8 filets. Disposez le poisson sur un plat de service peu profond.

Pour la sauce, mettez la crème dans un bol et mélangez-y moutarde, 2 c. à soupe de la marinade filtrée, sel et poivre. Battez pour rendre homogène, versez sur le poisson et parsemez de fleurs d'origan. Servez comme plat principal.

BETTERAVES AVEC SAUCE BÉCHAMEL À LA MARJOLAINE

pour 4 à 6 personnes
8 jeunes betteraves

Sauce
30 g (1 oz) de beurre
30 g (1 oz) de farine
1 c. à soupe de fleurs de marjolaine (en fleurettes individuelles, sans parties vertes)
300 ml (1 1/4 t.) de lait
sel et poivre noir frais moulu
fleurs de marjolaine, pour décorer

Préchauffez le four à 180 °C (450 °F). Coupez le feuillage des betteraves en laissant 2,5 cm (1 po) de tige. Lavez dans l'eau froide en ne perforant pas la peau, sinon elles «saigneront» durant la cuisson. Plongez-les dans une casserole d'eau bouillante et cuisez 30 à 45 minutes. Pour vérifier si elles sont cuites, pressez avec les doigts: si la peau s'enlève facilement, elles sont prêtes. Égouttez et laissez refroidir avant de peler.

Pour la sauce, faites fondre le beurre dans une casserole et incorporez la farine. Cuisez 1 minute, puis ajoutez fleurs et lait, en remuant sans arrêt. Continuez la cuisson pour obtenir une sauce épaisse et homogène, salez et poivrez, puis versez sur les betteraves. Mettez au four 10 minutes, puis décorez avec le reste des fleurs et servez.

Perilla frutescens var. *crispa*

PÉRILLE, SHISO

Annuelle. Haut. 60-120 cm (2-4 pi). Petites fleurs blanches, en été. Feuilles dentées vertes aromatiques.

J'ai commencé à cultiver cette plante il y dix ans pour l'utiliser en cuisine. Je me suis ensuite aperçue qu'on la retrouve un peu partout dans les plates-bandes ornementales. Elle est superbe, et ses fleurs possèdent un goût léger et piquant qui accompagne à merveille les sautés, le poulet et le poisson. *Perilla frutescens* var. *crispa rubra* produit de petites fleurs roses qui ont le même goût. La combinaison des feuilles violettes et des fleurs roses est magnifique dans plusieurs plats.

COMMENT CULTIVER

PAR SEMIS

Semez les graines au printemps dans des caissettes ou modules préparés. La germination peut être irrégulière, et une température de fond de 18 °C (65 °F) peut aider si vous faites les semis très tôt.

OÙ PLANTER

AU JARDIN

Semez directement dans le jardin seulement lorsque la température ne descend plus sous 10 °C (50 °F). Assurez-vous que l'endroit est bien préparé et bien labouré. Il faut un sol riche et perméable et un endroit chaud et protégé, de préférence ensoleillé au milieu de la journée.

EN POT

Cette plante pousse bien dans des bacs placés en plein soleil. Rempotez-la dans de plus grands pots à mesure qu'elle grandit: elle deviendra très grosse. Pour l'empêcher de devenir trop haute, pincez le bourgeon terminal, ce qui favorisera la production de feuilles et de fleurs. Arrosez bien au milieu de la journée, mais sans noyer.

QUAND RÉCOLTER

Cueillez constamment les fleurs pour avoir plus de feuilles; vous obtiendrez ainsi une récolte modeste mais continue. Utilisez les fleurs pour faire une huile ou un vinaigre floral (voir p. 142); ceux-ci ajoutent une saveur subtile aux sautés et aux vinaigrettes.

LA GASTRONOMIE

Toute la fleur est comestible. Faites vos propres expériences: ces fleurs se prêtent à de nombreux usages, et les résultats sont spectaculaires.

CONSEIL

Les feuilles de shiso violet servent à colorer les conserves de fruits.

RAMEQUINS DE SHISO ET RICOTTA

pour 6 personnes

environ 24 feuilles de shiso violet (assez pour tapisser 6 ramequins)
140 g (5 oz) de fromage ricotta
140 g (5 oz) de fromage frais
75 g (2 1/2 oz) de beurre, amolli
2 gousses d'ail, écrasées
sel et poivre noir frais moulu
2 c. à soupe de fleurs de shiso

Tapissez les ramequins de pellicule plastique en laissant un surplus que vous rabattrez pour couvrir par la suite. Tapissez ensuite de feuilles de shiso, aussi avec un surplus. Il devra vous rester assez d'autres feuilles pour couvrir le dessus. Si les feuilles ne sont plus très jeunes, trempez-les d'abord dans un bol d'eau très chaude pour les amollir.

Mélangez bien ricotta, fromage frais, beurre et ail, puis incorporez sel, poivre et la moitié des fleurs. Mettez le mélange dans les ramequins, puis couvrez avec le reste des feuilles et la pellicule plastique. Réfrigérez jusqu'au lendemain.

Pour servir, écartez la pellicule plastique du dessus des ramequins et démoulez sur les assiettes, puis enlevez la pellicule plastique. Décorez avec le reste des fleurs. Servez comme hors-d'œuvre ou entrée avec du pain grillé.

FEUILLES DE SHISO FARCIES DE POULET, RIZ ET PIGNONS

pour 4 personnes

huile pour la friture
1 petit oignon, haché fin
100 g (4 oz) de riz, cuit
100 g (4 oz) de poulet cuit, coupé en dés
1 c. à soupe de pignons
1 c. à thé d'estragon, haché fin
1 c. à thé de thym, haché fin
1 c. à soupe de fleurs de shiso
16 feuilles de shiso

Chauffez l'huile dans une grande poêle à frire et faites revenir l'oignon, pour attendrir. Ajoutez riz, poulet, pignons, estragon, thym et 2 c. à thé des fleurs. Mélangez bien et cuisez encore 2 minutes, puis retirez du feu.

Plongez les feuilles de shiso dans un bol d'eau bouillante une à la fois, puis étalez-les sur une planche. Déposez 1 c. à thé du mélange de riz et poulet sur huit des feuilles, puis enroulez-les en cigares. Étalez les autres feuilles, placez sur chacune un «cigare» et enroulez dans l'autre sens (pour sceller et garder la farce en place). Disposez sur un plat de service, couvrez et réfrigérez.

Pour servir, parsemez le reste des fleurs sur les feuilles. Servez comme plat principal avec une vinaigrette.

Pelargonium

GÉRANIUM À FEUILLES AROMATIQUES

Vivace délicate. Haut. 30-100 cm (1-3 pi). Il existe plusieurs variétés de géraniums à feuilles aromatiques. Le nom courant n'est pas approprié, mais je l'utilise quand même pour éviter la confusion avec la grande famille des pélargoniums. De différentes tailles et teintes, ces plantes fleurissent l'été. Les feuilles ont différents arômes: citron, rose, menthe poivrée, épices, etc.

Même si ce sont les feuilles des géraniums qu'on remarque le plus, les fleurs ont un très bon goût. Par exemple, les fleurs roses délicates de *Pelargonium* «Attar of Roses», les petites fleurs roses de *Pelargonium* «Royal Oak», les fleurs mauves et violettes de *Pelargonium crispum,* les fleurs aux deux tons de rose de *Pelargonium* «Lemon Fancy» et les fleurs blanches de *Pelargonium odoratissimum* et de *Pelargonium fragrans.* La liste des fleurs de géranium est presque illimitée et toutes sont comestibles. Même si elles n'ont pas la saveur spectaculaire des feuilles, elles ajoutent une note intéressante en cuisine.

COMMENT CULTIVER

PAR SEMIS

On peut propager les géraniums par semis, mais en général, les résultats sont plus sûrs avec des boutures. Semez les graines dans des caissettes ou modules préparés, avec une température de fond d'au moins 15 °C (60 °F).

PAR BOUTURAGE

Coupez des boutures herbacées en été sur les tiges non fleuries et plantez dans des modules ou pots. Placez ceux-ci dans une serre fraîche pour l'hiver et n'arrosez qu'occasionnellement, en gardant le terreau assez sec. Au printemps, rempotez dans de plus gros pots et arrosez parcimonieusement jusqu'au début de la croissance.

OÙ PLANTER

AU JARDIN

Transplantez dans le jardin dès qu'il n'y a plus risque de gel. Choisissez un endroit chaud avec un sol perméable. S'il gèle en hiver dans votre région, déterrez les plantes à la fin de l'été ou au début de l'automne, mettez-les en pot et faites-les hiverner dans une serre fraîche.

EN POT

Ces plantes y sont merveilleuses, et je crois que c'est la meilleure façon de les cultiver. C'est aussi une solution idéale pour donner à ces vivaces les meilleures conditions pour leur croissance. Placez-les à un endroit où vous pourrez effleurer les feuilles en passant et cueillir aisément les fleurs.

QUAND RÉCOLTER

Cueillez les fleurs dès qu'elles s'ouvrent. On n'utilise que les pétales en cuisine, mais la fleur entière peut servir de décoration. Conservez-les dans la gelée, l'huile, le beurre ou le sirop (voir p. 138).

LA GASTRONOMIE

Les gens de l'époque victorienne se servaient beaucoup des géraniums à feuilles aromatiques pour parfumer leurs plats. C'est une habitude qui revient à la mode.

CONSEIL

L'huile de géranium à feuilles aromatiques est utilisée en aromathérapie comme relaxant. Pour la peau sèche, diluez-en une goutte dans 2 c. à soupe d'huile d'amande.

GELÉE DE GÉRANIUM

pour 4 bocaux de 450 g (1 lb)

1,75 kg (4 lb) de pommes à cuire
1,75 l (7 1/2 t.) d'eau
1 kg (2,2 lb) de sucre
12 fleurs entières de géranium à feuilles aromatiques
12 feuilles de Pelargonium *«Attar of Roses»*
4 c. à soupe de jus de citron
pétales de 12 fleurs de géranium à feuilles aromatiques

Lavez et hachez les pommes entières, puis mettez dans une casserole avec couvercle. Ajoutez l'eau et portez à ébullition. Faites mijoter 20 à 30 minutes, pour amollir. Versez ensuite dans un sac à gelée ou d'étamine. Laissez égoutter dans un bol jusqu'au lendemain.

Mesurez le jus obtenu et versez dans une casserole, puis incorporez 450 g (1,1 lb) de sucre par 600 ml (2 1/2 t.) de jus. Faites bouillir 20 minutes avec les fleurs entières et les feuilles dans un sachet d'étamine, jusqu'au point de prise. Pour vérifier si c'est prêt, mettez-en un peu sur une soucoupe froide: si la surface plisse quand vous poussez du doigt, arrêtez la cuisson. Retirez fleurs et feuilles, puis écumez. Incorporez jus de citron et pétales de fleurs, puis versez dans les bocaux chauds. Laissez refroidir, scellez, étiquetez et datez.

BISCUITS AU GÉRANIUM-CITRON

pour environ 30 biscuits

225 g (1/2 lb) de farine avec levure
1 pincée de sel
150 g (6 oz) de beurre
100 g (4 oz) de sucre
1 c. à thé de feuilles de géranium-citron, hachées fin
1 œuf
pétales de 30 fleurs de géranium-citron

Préchauffez le four à 180 °C (350 °F). Tamisez farine et sel dans un bol, puis incorporez le beurre en frottant avec le bout des doigts. Ajoutez sucre, feuilles et œuf, et malaxez pour obtenir une pâte ferme. Déposez la pâte sur une planche et pétrissez pour rendre homogène, puis enveloppez dans une pellicule plastique et réfrigérez 30 à 40 minutes. Étendez la pâte assez mince au rouleau sur une surface farinée et, avec un emporte-pièce rond de 5 cm (2 po), coupez les biscuits. Déposez sur une plaque à biscuits tapissée de papier sulfurisé. Piquez bien les biscuits à la fourchette. Faites dorer au four 12 à 15 minutes. Retirez les biscuits du four et disposez sur chacun deux ou trois pétales de fleurs. Faites refroidir sur une grille, puis rangez dans un contenant hermétique.

Phlox drummondii

PHLOX

Annuelle. Haut. 15 cm (6 po). Fleurs en forme d'étoile, de plusieurs couleurs, incluant rouge, rose, bleu violet et blanc, de l'été au début de l'automne. Feuilles lancéolées vert pâle.

Ces fleurs à saveur aromatique sont délicieuses dans les salades et, cristallisées, sur les desserts. Il existe aussi plusieurs plantes vivaces de ce genre, dont certaines à feuilles persistantes. L'une d'elles, maintenant assez rare mais très intéressante, est *Phlox paniculata* «Album»; seuls les pétales de ses fleurs blanches sont comestibles.

COMMENT CULTIVER

PAR SEMIS

Semez les graines à l'automne dans des caissettes ou modules préparés. Faites hiverner dans une serre fraîche et transplantez dehors quand il n'y a plus risque de gel. Pour des plantes qui fleurissent plus tard, semez directement dans le jardin au printemps après les gelées.

PAR BOUTURAGE

Ceci ne fonctionne qu'avec les variétés vivaces. Coupez des boutures herbacées sur les tiges non fleuries au printemps ou au début de l'automne.

OÙ PLANTER

AU JARDIN

Plantez dans un sol humide mais perméable à un endroit ensoleillé ou semi-ombragé. Si le climat est chaud et sec l'été, il vaut mieux arroser plus et ajouter un paillis autour des plantes pour retenir l'humidité.

EN POT

Quelques variétés alpestres de phlox (*Phlox hoodi*, *Phlox* «Millstream», *Phlox* «May Snow») sont très décoratives dans des jardinières basses et poussent bien dans un terreau très perméable.

QUAND RÉCOLTER

Cueillez les fleurs dès qu'elles s'ouvrent. Utilisez-les fraîches ou cristallisez-les pour les conserver (voir p. 142).

LA GASTRONOMIE

Ces superbes fleurs sont un excellent ajout aux salades florales et aux desserts. Enlevez avec soin les étamines, les pistils et les parties vertes des fleurs avant de les utiliser.

CONSEIL

Supprimez les fleurs mortes pour encourager la croissance de la plante.

POIRES AU VIN ROUGE DÉCORÉES DE PHLOX BLANCS

pour 6 personnes

145 g (5 oz) de sucre
150 ml (5 oz) d'eau
150 ml (5 oz) de vin rouge
zeste de citron
1 petit bâton de cannelle
6 poires mûres
1 c. à thé d'arrow-root
12 fleurs blanches de phlox, cristallisées

Dans une casserole, faites un sirop en dissolvant le sucre dans l'eau à feu doux et en remuant constamment pour que le sucre n'attache pas. Ajoutez vin, zeste de citron et cannelle, puis portez à ébullition et cuisez 1 minute. Retirez du feu. Pelez les poires et conservez la queue et le cœur. Déposez dans une casserole, versez le sirop dessus, couvrez et faites pocher à feu doux, pour attendrir (environ 25 min.). Ne hâtez pas la cuisson, sinon les poires se décoloreront. Disposez les poires cuites sur un plat de service. Faites mijoter le sirop, pour réduire de moitié. Mélangez l'arrow-root dans un peu d'eau puis incorporez au sirop. Ramenez à ébullition et cuisez en remuant constamment pour éclaircir le sirop. Déposez le sirop à la cuiller sur les poires et réfrigérez. Pour servir, décorez avec les fleurs de phlox cristallisées.

PHLOX BLANCS AVEC GRANITÉ À LA PASTÈQUE

pour 4 personnes
125 g (4 1/2 oz) de sucre
250 ml (9 oz) d'eau
1 pastèque de 2 kg (4,4 lb), donnant environ 1 kg (2,2 lb) de pulpe
jus de 1 citron
sucre et blanc d'œuf battu, pour le bord des coupes
12 fleurs blanches de phlox, cristallisées

Mettez sucre et eau dans une casserole et chauffez doucement pour faire dissoudre le sucre, en remuant constamment pour que le sucre n'attache pas. Retirez la casserole du feu et laissez refroidir. Coupez la pastèque en morceaux et épépinez. Mettez dans un robot de cuisine ou un mélangeur avec sirop et jus de citron, et réduisez en purée. Pour faire le granité, versez la purée de pastèque dans un plat peu profond et congelez 45 à 60 minutes. Retirez du congélateur et brisez les cristaux de glace à la fourchette ou au batteur électrique. Remettez au congélateur. Répétez le processus jusqu'à ce que vous obteniez une masse de cristaux de glace, puis couvrez et remettez au congélateur. Givrez les bords de quatre coupes de verre en les peignant de blanc d'œuf battu puis en les déposant dans le sucre. Mettez le granité dans les coupes et décorez avec les fleurs.

Primula veris

PRIMEVÈRE OFFICINALE, COUCOU

❖

Vivace rustique. Haut. 15-20 cm (6-8 po). Grappes de fleurs jaunes aromatiques, au printemps. Feuilles vertes ovales.

Je me rappelle encore des champs de primevères en fleurs que, toute petite, je traversais avec ravissement: c'est l'un de mes plus beaux souvenirs d'enfance. Malheureusement, on n'en voit presque plus. Mais vous pouvez les cultiver si vous avez un sol calcaire; elles se répandront facilement. Leur douce saveur rappelle la campagne: utilisez-les pour faire du vin ou des salades.

COMMENT CULTIVER

PAR SEMIS

Semez les graines au début de l'automne dans des caissettes ou modules préparés. Couvrez et laissez hiverner dans un endroit assez froid, ce qui facilitera la germination.

PAR DIVISION

Divisez les plantes adultes au début de l'automne. Replantez avec un espacement de 15 cm (6 po).

OÙ PLANTER

AU JARDIN

Plantez dans un sol perméable à un endroit voilé ou semi-ombragé.

EN POT

Ces plantes poussent bien en pot, à condition que le terreau ne s'assèche pas. Protégez du soleil au milieu de la journée.

QUAND RÉCOLTER

Cueillez les fleurs dès qu'elles s'ouvrent. Conservez-les dans le vin, le sucre, le sirop ou le vinaigre (voir p. 138). Elles sont aussi très jolies cristallisées (voir p. 142).

LA GASTRONOMIE

Pour consommer, il faut enlever toutes les parties vertes en ne gardant que les fleurs jaunes complètes. Leur goût est délicieux.

CONSEIL

À noter: il est défendu dans plusieurs pays de cueillir et de déterrer ces plantes poussant à l'état sauvage.

ATTENTION!

Certaines primevères peuvent causer une dermatite au contact: à prendre avec des gants!

SALADE DE PRIMEVÈRES, CRESSON ET POURPIER

pour 4 personnes

2 bottes de cresson, lavé
115 g (4 oz) de feuilles vertes et dorées de pourpier
10-15 fleurs de primevère officinale

Vinaigrette

1 c. à thé d'estragon frais, haché fin
1 c. à thé de menthe, hachée fin
1 c. à soupe de vinaigre de primevère officinale ou de vinaigre de vin blanc
3 c. à soupe d'huile d'olive

Hachez grossièrement le cresson, puis, dans un saladier, mêlez aux feuilles de pourpier et à la moitié des fleurs. Pour la vinaigrette, mélangez bien tous les ingrédients. Juste avant de servir, touillez la salade avec la vinaigrette et parsemez dessus le reste des fleurs.

CRÊPES AVEC SIROP DE PRIMEVÈRE À L'ORANGE

pour 8 personnes

Crêpes

240 g (8 oz) de farine, tamisée
450 ml (1 3/4 t) de lait et eau (en proportions égales)
1 gros œuf, battu
1 c. à soupe de beurre fondu ou d'huile
1 c. à soupe de sucre
1 pincée de sel
huile pour la friture

Sirop

300 ml (1 1/4 t.) d'eau
175 g (6 oz) de sucre
zeste de 2 oranges
10-15 fleurs de primevère officinale (sans parties vertes)

Pour les crêpes, il est préférable (mais non obligatoire) de préparer la pâte la veille et de réfrigérer jusqu'au lendemain.

Mettez la farine dans un bol en faisant un puits au centre; ajoutez-y graduellement eau et lait. Malaxez pour obtenir une pâte homogène. Ajoutez œuf, beurre ou huile, sucre et sel, puis battez bien jusqu'à consistance de crème légère.

Pour le sirop, portez l'eau à ébullition. Ajoutez le sucre en remuant constamment, pour dissoudre sans attacher au fond de la casserole. Incorporez le zeste des oranges et laissez mijoter environ 10 minutes. Retirez du feu.

Chauffez un peu d'huile dans une poêle. Versez un peu de pâte à crêpes en inclinant la poêle pour couvrir d'une mince couche. Cuisez la crêpe jusqu'à ce qu'elle glisse lorsque vous bougez la poêle et retournez-la. Quand elle est cuite, déposez sur une assiette chaude, puis faites les autres crêpes. Réchauffez le sirop, versez sur les crêpes et décorez avec les fleurs.

Primula vulgaris
PRIMEVÈRE VULGAIRE

Vivace rustique. Haut. 15-20 cm (6-8 po). Fleurs aromatiques en deux tons de jaune, au printemps. Feuilles vert moyen ovales et plissées.

Pour certaines personnes, il serait sacrilège de consommer ces symboles parfumés du printemps. J'étais aussi de cet avis jusqu'à ce que je mange ma première salade de primevères et violettes. Leur saveur rappelle leur parfum, doux et chaleureux. Rien de tel pour raviver une salade verte et une journée printanière grise et humide.

COMMENT CULTIVER

PAR SEMIS

Il n'est pas facile d'obtenir des plants par semis. Semez les graines aussi fraîches que possible à la fin de l'été dans des caissettes ou modules préparés et couvrez pour faire hiverner dehors ou dans une serre froide.

PAR DIVISION

Divisez les plantes adultes au début de l'automne et replantez dans le jardin avec un espacement de 15 cm (5 po).

OÙ PLANTER

AU JARDIN

Ces plantes de la campagne préfèrent pousser en haies sous des arbres à feuilles caduques. Sinon, plantez à un endroit semi-ombragé et protégé, avec un sol humide et riche en compost de feuilles.

EN POT

On peut y faire pousser ces plantes en les plaçant à un endroit semi-ombragé et en gardant le terreau humide.

CONSEIL

Voici un avertissement plutôt qu'un conseil: il est défendu dans plusieurs pays de cueillir et de déterrer ces plantes poussant à l'état sauvage.

ATTENTION!

Certaines primevères peuvent causer une dermatite au contact: à prendre avec des gants!

QUAND RÉCOLTER

Cueillez les fleurs dès qu'elles s'ouvrent et préservez-les en les cristallisant ou en en faisant du sucre ou du vinaigre floral (voir p. 141).

LA GASTRONOMIE

À cause de leur goût délicat, je préfère manger ces fleurs telles quelles. Enlevez les étamines, les pistils et les parties vertes avant de consommer.

SALADE DE PRIMEVÈRES

pour 4 personnes

1 laitue pommée
115 g (4 oz) de mâche
2 c. à soupe de jeunes feuilles de primevère, hachées fin
50 g (2 oz) de persil, haché
450 g (1 lb) de tomates, pelées et hachées
1/2 concombre
15-20 fleurs de primevère vulgaire

Vinaigrette
3 c. à soupe d'huile d'olive
ou de tournesol
1 c. à soupe de vinaigre à la primevère
(ou vinaigre de vin blanc)
sel et poivre noir frais moulu

Lavez et asséchez la laitue, puis mettez dans un saladier. Ajoutez mâche, feuilles de primevère, persil, tomates et concombre. Pour la vinaigrette, battez ensemble tous les ingrédients. Versez sur la salade, touillez et décorez avec les fleurs.

SALADE DE PRIMEVÈRES ET VIOLETTES

pour 4 personnes
1 laitue iceberg (batavia)
15-20 fleurs de primevère vulgaire
15-20 fleurs de violette

Vinaigrette
3 c. à soupe d'huile de tournesol
1 c. à soupe de vinaigre à la violette
(ou vinaigre de vin blanc)
1 c. à soupe de menthe hachée
sel et poivre frais moulu

Séparez et lavez les feuilles de laitue, puis coupez-les. Mettez dans un saladier et parsemez des deux sortes de fleurs. Préparez la vinaigrette en mélangeant bien tous les ingrédients. Juste avant de servir, versez sur la salade et touillez.

Robinia hispida

ACACIA ROSE

Vivace rustique à feuilles caduques. Haut. 1,5-2 m (5-6 pi).
Fleurs rose pourpré en grappes pendantes. Feuilles vertes paripennées.

C'est un arbuste magnifique dont les fleurs ont une saveur de pois et sont très décoratives sur les desserts. Le faux acacia, *Robinia pseudoacacia,* est un arbre imposant à feuilles caduques qui s'élève jusqu'à une hauteur de 25 m (80 pi). Il possède des grappes pendantes de fleurs blanches qui sont aussi comestibles.

COMMENT CULTIVER

PAR SEMIS

Semez les graines au début du printemps dans des caissettes ou modules préparés. Une température de fond de 15-21 °C (60-70 °F) facilitera la germination. Quand les plantules sont assez grandes, empotez-les ou transplantez-les au jardin dès qu'il n'y a plus risque de gel.

PAR DIVISION

Coupez les drageons de la plante à l'automne. Replantez-les dans le jardin, s'il est abrité, ou en pot, que vous placerez dans une serre fraîche pour l'hiver.

PAR GREFFAGE

Si vous achetez cette plante dans une jardinerie, prenez-en une qui a été greffée sur *Robinia pseudoacacia*; elle donnera un magnifique petit arbre avec des feuilles d'un vert plus foncé et des grappes de grandes fleurs roses.

OÙ PLANTER

AU JARDIN

Cet arbuste ne vit pas très longtemps, mais il peut pousser partout sauf dans un sol très mouillé. Il préfère idéalement un sol sec et pauvre dans un endroit ensoleillé. Protégez-le des vents violents, car ses rameaux sont fragiles et peuvent casser. Cette plante supporte bien la pollution et est bien adaptée à la culture en ville.

EN POT

L'acacia rose pousse bien en pot, à condition de le rempoter dans des pots plus grands à mesure qu'il grandit. Pour un vrai défi, faites pousser en arbre de haute tige un acacia rose greffé sur un faux acacia. Il sera magnifique et dégagera un parfum divin l'été.

QUAND RÉCOLTER

Cueillez toute la grappe de fleurs dès qu'elles s'ouvrent. Pour les conserver, cristallisez-les (voir p. 142) ou faites-en un sirop (voir p. 141).

LA GASTRONOMIE

Pour préparer les fleurs pour la cuisine, enlevez-les une à une de la grappe en vous débarrassant de la tige et des parties vertes.

CONSEIL

Ne taillez pas cette plante, mais coupez un peu pour préserver sa forme. À la fin de l'été, avant la chute des feuilles, enlevez les rameaux morts.

ATTENTION!

NE MANGEZ PAS les gousses des graines se formant après la floraison: elles sont TOXIQUES.

CI-CONTRE: pouding d'été aux fleurs d'acacia rose

PAVLOVAS AVEC FLEURS D'ACACIA ROSE CRISTALLISÉES

pour 4 personnes

Meringue

4 blancs d'œufs
225 g (8 oz) de sucre

Garniture

300 ml (1 1/4 t.) de crème à fouetter
1/4 c. à thé d'essence d'amande
1 c. à soupe de fleurs d'acacia rose, cristallisées

Préchauffez le four à 120 °C (250 °F). Pour la meringue, battez les blancs d'œufs en neige très ferme. Incorporez-y le sucre, une cuillerée à la fois. Mettez le mélange dans une poche à douille décorative et montez les pavlovas en forme de nid sur une plaque à biscuits tapissée de papier sulfurisé. Mettez au four 1 à 2 heures, pour rendre la meringue très croquante. Laissez refroidir sur une grille.

Pour la garniture, fouettez la crème assez ferme et incorporez l'essence d'amande. Mettez les pavlovas sur un plat de service, garnissez de crème fouettée et décorez avec les fleurs cristallisées.

POUDING D'ÉTÉ AUX FLEURS D'ACACIA ROSE

pour 6 personnes

675 g (1 1/2 lb) de fruits variés: cassis, framboises, mûres, cerises
150 ml (1 1/4 t.) d'eau
1/2 pain blanc carré, tranché fin
sucre, au goût
1 c. à thé d'arrow-root, trempé dans 150 ml (1 1/4 t.) de jus de fruits ou d'eau
1 c. à soupe de fleurs d'acacia rose, séparées en fleurettes

Préchauffez le four à 120 °C (250 °F). Mettez fruits et eau dans une casserole, couvrez et faites mijoter de 4 à 5 minutes, puis filtrez à la passoire, en réservant le jus. Mettez les fruits dans un robot de cuisine ou un mélangeur et réduisez en purée. Incorporez le jus à la purée, puis sucrez au goût. Enlevez la croûte du pain et tapissez uniformément le fond et les côtés d'un bol avec les tranches de mie. Versez de la purée de baies sur les tranches du fond pour bien les mouiller. Puis alternez tranches et purée jusqu'au bord, en mouillant bien le pain. Faites un couvercle de pain sur le dessus. Réservez 150 ml (1 1/4 t.) de purée pour la sauce. Déposez une assiette et un poids de 1 kg (2 lb) sur le pouding, puis réfrigérez jusqu'au lendemain.

Pour la sauce, mettez la purée réservée et un peu d'eau dans une petite casserole. Incorporez l'arrow-root et portez à ébullition à feu modéré, en remuant constamment. Versez dans un bol et laissez refroidir. Démoulez le pouding sur un plat de service, nappez de sauce à la cuiller et décorez avec les fleurs.

Rosa ssp.

ROSE

Arbuste vivace, surtout rustique, à feuilles caduques ou semi-persistantes. Haut. 40 cm-4 m (15 po-12 pi). Selon les espèces, fleurs de couleurs diverses entre le printemps et l'automne. Feuilles habituellement divisées en cinq ou sept folioles.

Chez les Chinois, les textes mentionnant cette fleur étonnante remontent à des milliers d'années. Les Grecs, les Romains et les Perses utilisaient les roses en parfumerie et en médecine. Les pétales de rose sont un délice culinaire depuis des centaines, voire des milliers d'années. À l'époque élisabéthaine, la confiture de pétales de rose était un raffinement gastronomique. De nos jours, si on n'a pas le temps d'en préparer, on peut en acheter dans des boutiques spécialisées.

COMMENT CULTIVER

La culture des roses pourrait faire l'objet d'un livre complet, mais je vous en donne les règles générales. Mes variétés favorites sont: *Rosa x damascena superflorens, Rosa gallica* var. *officinalis,* rose rouge de Lancaster, *Rosa gallica* «Versicolor», *Rosa mindi, Rosa rugosa* et *Rosa* «Rosemary Harkness».

PAR SEMIS

On peut faire pousser des rosiers avec les graines des cynorhodons, mais il faut de la patience. Il faut laisser les cynorhodons sur la plante jusqu'à maturité avant de les cueillir. Les graines semées en automne germent habituellement au printemps, mais elles peuvent aussi rester dormantes un an.

PAR BOUTURAGE

Coupez des boutures au début de l'automne. Transplantez-les dehors au printemps.

OÙ PLANTER

AU JARDIN

Le meilleur temps pour planter des rosiers est au printemps ou au début de l'automne, le plus souvent dans un endroit ensoleillé et dégagé. Le sol doit être riche, humide et perméable. Arrosez bien durant la première année. Cette plante demande beaucoup d'engrais équilibré: fertilisez au début du printemps, puis à chaque mois jusqu'à la fin de l'été. Supprimez toujours les fleurs mortes pour encourager une nouvelle floraison. Pour maintenir la forme de l'arbuste, taillez au début du printemps avant l'apparition des nouvelles pousses, en enlevant le bois mort ou endommagé.

EN POT

Certains des arbustes miniatures sont très décoratifs en pot. Fertilisez régulièrement avec un engrais liquide préparé spécialement pour les roses.

QUAND RÉCOLTER

Les roses qui sentent bon goûtent bon aussi. Cueillez les pétales l'été sur des fleurs qui viennent d'ouvrir. Tous les pétales de rose sont comestibles et ont des goûts légèrement différents, mais il faut enlever l'onglet blanc à la base avant de consommer. Conservez les pétales dans l'huile, le beurre, le sirop, la gelée ou le vinaigre (voir p. 138) ou cristallisez-les (voir p. 142).

CONSEIL

Ne plantez pas de rosiers là où ils ont poussé les années précédentes, afin d'éviter les problèmes causés par des maladies présentes dans le sol.

GELÉE DE POMMETTES ET PÉTALES DE ROSE

pour 4 bocaux de 450 g (1 lb)

1,75 kg (4 lb) de pommettes, lavées et hachées
1,5 kg (3 lb) de sucre
8 c. à soupe de pétales de rose (sans onglet blanc)
1 c. à soupe de pétales de rose en petits morceaux, pour ajouter à la gelée

Mettez les pommettes dans une casserole à confiture et ajoutez assez d'eau pour couvrir. Portez à ébullition, puis laissez mijoter 30 à 40 minutes, pour amollir les pommettes. Versez dans un sac à gelée ou d'étamine et laissez égoutter jusqu'au lendemain. Mesurez le jus obtenu et ajoutez 450 g (1 lb) de sucre par 600 ml (2 1/2 t.) de jus. Mettez dans une casserole et portez à ébullition avec les pétales de rose dans un sachet d'étamine. Faites mijoter jusqu'au point de prise (environ 20 min.), puis enlevez le sachet de pétales et écumez. Incorporez les morceaux de pétales. Versez dans des bocaux stérilisés chauds et scellez quand c'est encore chaud. Étiquetez et datez.

GÂTEAU DES ANGES À LA ROSE

On peut acheter l'eau de rose en pharmacie ou en boutique spécialisée.

100 g (4 oz) de beurre, amolli
100 g (4 oz) de sucre
2 c. à soupe de pétales de rose (sans onglet blanc)
2 gros œufs
100 g (4 oz) de farine avec levure, tamisée
1 c. à thé de levure chimique (poudre à pâte)
4 gouttes d'eau de rose

Préchauffez le four à 160 °C (325 °F). Battez beurre et sucre ensemble, puis ajoutez pétales de rose, œufs, farine, levure et eau de rose. Mélangez bien, pour rendre homogène. Versez dans deux moules à gâteaux beurrés de 20 cm (8 po) et mettez au four 35 à 40 minutes. Quand le gâteau est cuit, démoulez-le sur une grille pour refroidir.

Garniture

100 g (4 oz) de beurre
175 (6 oz) de sucre à glacer
1-2 c. à soupe d'eau de rose

Battez le beurre en crème et incorporez-y graduellement le sucre à glacer. Ajoutez assez d'eau de rose pour obtenir une consistance onctueuse.

Glaçage

225 g (8 oz) de sucre à glacer
2-4 c. à soupe d'eau de rose
pétales de rose cristallisés, pour décorer

Tamisez le sucre à glacer dans un bol et ajoutez graduellement assez d'eau de rose pour obtenir une glace onctueuse, suffisamment épaisse pour couvrir le dos d'une cuiller. Utilisez sur-le-champ et décorez le gâteau avec les pétales de rose cristallisés.

Rosmarinus officinalis
ROMARIN

Vivace à feuilles persistantes. Haut. 75-115 cm (30-60 po). Fleurs bleu pâle odorantes, en été. Feuilles linéaires vert foncé très aromatiques.

Le romarin est très connu, mais peu de gens savent que ses fleurs ont le même goût (moins prononcé) que ses feuilles. On peut les ajouter aux tomates et aux courges ainsi qu'à l'agneau. Il existe diverses espèces intéressantes: *Rosmarinus officinalis* «Benenden Blue», aux fleurs bleu foncé, *Rosmarinus officinalis* «Majorca Pink», aux fleurs roses, et *Rosmarinus officinalis* «Prostratus», aux fleurs bleu pâle.

COMMENT CULTIVER

PAR SEMIS

Seul *Rosmarinus officinalis* se propage de cette manière et cela requiert une température de fond de 27-32 °C (80-90 °F). Semez les graines au printemps dans des caissettes ou modules préparés. Après la germination, n'arrosez pas trop et repiquez dans des pots avant de planter au jardin.

PAR BOUTURAGE

Coupez des boutures herbacées sur les nouvelles pousses non fleuries au printemps ou des boutures semi-ligneuses sur les tiges non fleuries en été.

OÙ PLANTER

AU JARDIN

Plantez dans un sol perméable à un endroit abrité et ensoleillé, en espaçant de 60-90 cm (2-3 pi). Protégez bien les jeunes plantes durant leur premier hiver.

EN POT

Le romarin est très joli dans des pots de terre cuite. Utilisez un terreau bien aéré. En hiver, n'arrosez pas trop et protégez du gel.

QUAND RÉCOLTER

Cueillez les fleurs dès qu'elles s'ouvrent. Conservez-les dans l'huile, le beurre ou le vinaigre (voir p. 138).

LA GASTRONOMIE

Toute la fleur est comestible une fois les parties vertes enlevées. La soupe à la tomate préparée avec du romarin est un pur délice.

CONSEIL

S'il gèle en hiver dans votre région, ne taillez pas le romarin à l'automne, car le gel pourrait endommager ou même tuer la plante.

SOUPE À LA TOMATE ET AU ROMARIN

pour 4 personnes

1 gros oignon, pelé et haché
50 g (2 oz) de beurre
675 g (1 1/2 lb) de tomates, pelées et hachées
600 ml (2 1/2 t.) de bouillon de légumes ou poulet
2 brins de romarin de 2,5 cm (1 po) de long
sel et poivre frais moulu
1 pincée de cassonade
2 c. à soupe de fleurs de romarin (sans parties vertes)

Chauffez le beurre dans un faitout et faites revenir l'oignon doucement, pour attendrir. Incorporez les tomates et remuez quelques minutes, puis versez le bouillon chauffé. Ajoutez les brins de romarin, portez à ébullition et laissez mijoter 20 minutes. Incorporez sel, poivre et cassonade. Mettez dans un robot de cuisine et réduisez en purée. Remettez dans le faitout et réchauffez sans faire bouillir. Versez dans des bols et parsemez de fleurs de romarin.

SAUTÉ D'AGNEAU AU ROMARIN

pour 4 à 6 personnes
huile de sésame pour la friture
1 gros oignon, pelé et tranché
650 g (1 1/2 lb) d'agneau maigre, en cubes
1 c. à thé de feuilles de romarin, hachées fin
250 g (1/2 lb) de haricots verts
1 c. à soupe de fleurs de romarin (sans parties vertes)

Chauffez l'huile dans un wok ou une sauteuse. Mettez l'oignon et faites revenir, pour attendrir. Ajoutez agneau et feuilles de romarin et faites revenir 3 à 4 minutes en remuant constamment, puis incorporez les haricots et continuez à cuire 3 minutes. Disposez sur un plat de service et décorez avec les fleurs. Servez avec du riz nature et une salade verte.

Salvia officinalis

SAUGE

Vivace. Haut. 60 cm (2 pi). Fleurs aromatiques bleu violacé l'été. Feuilles vertes aromatiques, ovales et rugueuses.

La sauge est une plante ancienne; ses feuilles aromatiques servent depuis très longtemps à la conservation des aliments. Les fleurs ont le même goût que les feuilles, avec une touche de sucré qui en fait un accompagnement idéal pour le riz, la viande, le canard et les sautés. Une variété digne de mention est la sauge sclarée ou toute-bonne (bisannuelle), *Salvia sclarea,* qui a de superbes bractées florales bleu violacé et crème. Leur saveur est vraiment aromatique et, avec leurs teintes pastel, elles sont très jolies dans les salades. La sauge-ananas (vivace délicate), *Salvia elegans* «Scarlet pineapple», est très différente, avec des fleurs rouges et une saveur plus sucrée; elle se marie bien au poisson et aux salades.

COMMENT CULTIVER

PAR SEMIS

Salvia officinalis et *Salvia sclarea* sont les seules sauges qui se cultivent ainsi. Semez dans des caissettes ou modules préparés. Une température de fond de 15-21 °C (60-70 °F) facilitera la germination.

PAR BOUTURAGE

Au printemps, coupez des boutures herbacées sur les nouvelles pousses non fleuries des sauges vivaces.

OÙ PLANTER

AU JARDIN

Plantez dans un sol perméable à un endroit chaud et sec. On peut semer les graines directement en terre, en les espaçant de 23 cm (9 po), au printemps quand il n'y a plus risque de gel. Après la germination, éclaircissez à 45 cm (18 po) de distance.

EN POT

La sauge y pousse bien si vous utilisez un terreau bien aéré. L'hiver, arrosez le moins possible et protégez du froid.

QUAND RÉCOLTER

Cueillez les fleurs dès qu'elles s'ouvrent. Elles sont parfaites pour préparer des huiles ou vinaigres floraux (voir p. 142). Les fleurs de la sauge sclarée sont délicieuses conservées dans le beurre (voir p. 138). Celles de la sauge-ananas ont une apparence et un goût superbes (voir p. 142) une fois cristallisées.

LA GASTRONOMIE

Toutes les fleurs de sauge sont comestibles une fois débarrassées des parties vertes. Elles ont toutefois des saveurs différentes; je vous conseille de les goûter avant de les inclure dans vos plats (n'en utilisez pas trop, car elles ont beaucoup de goût).

CONSEIL

Les araignées rouges attaquent la sauge qui pousse en pot ou en serre. Dès que vous constatez l'apparition de taches sur les feuilles, examinez le dessous à la loupe. Si vous apercevez ces petites araignées rouges, traitez la plante avec un savon insecticide.

SALADE DE CHAMPIGNONS AVEC FLEURS DE SAUGE

pour 4 personnes

225 g (1/2 lb) de champignons de Paris
2 feuilles de sauge, hachées fin
1 gousse d'ail, hachée fin
2 échalotes, hachées fin
14 fleurs de sauge (sans parties vertes)

Vinaigrette

4 c. à soupe d'huile d'olive
1 c. à soupe de vinaigre à la sauge
1/2 c. à soupe de jus de citron
sel et poivre frais moulu

Enlevez et jetez les pieds des champignons et tranchez fin les chapeaux. Mettez dans un saladier et ajoutez feuilles de sauge, ail et échalotes. Préparez la vinaigrette en mélangeant huile, vinaigre, jus de citron, sel et poivre. Versez sur la salade, puis ajoutez les fleurs et touillez. Servez tout de suite, sinon les champignons absorberont l'huile et les fleurs se décoloreront.

BEIGNETS À LA SAUGE

pour 12 beignets

Pâte

100 g (4 oz) de farine
1/2 c. à thé de sel
2 c. à soupe d'huile de tournesol
150 ml (5 oz) d'eau chaude
1 blanc d'œuf

12 bractées de sauge sclarée
12 feuilles de sauge sclarée
huile pour la friture
sucre
1 c. à soupe de fleurs de sauge sclarée (enlevées des bractées)

Préparez la pâte à l'avance: tamisez farine et sel dans un bol et incorporez huile et assez d'eau pour obtenir un mélange crémeux. Laissez reposer 1 à 2 heures couvert d'un linge humide ou de plastique. Avant d'utiliser, montez le blanc d'œuf en neige ferme et incorporez à la pâte.

Rincez bractées et feuilles de sauge. Secouez bien, puis séchez sur du papier absorbant. Enroulez une feuille autour de chaque bractée, puis enrobez de pâte une par une. Égouttez l'excès de pâte et plongez dans l'huile, chauffée à 180 °C (360 °F). Les beignets doivent cuire sans se toucher. Quand ils sont dorés, égouttez sur du papier absorbant et déposez sur un plat de service. Saupoudrez de sucre, décorez avec les fleurs et servez.

Sambucus nigra

SUREAU NOIR ou COMMUN

Vivace rustique à feuilles caduques. Haut. 6-7 m (20-23 pi). Sommités plates de fleurs en forme d'étoile blanc crème, à la fin du printemps et au début de l'été. Feuilles vert moyen ovales en groupes de cinq.

Les fleurs de sureau noir sont de plus en plus utilisées en cuisine. On en fait un cordial très agréable à siroter pendant les chaudes soirées d'été. Ces fleurs vaporeuses sont très spéciales à mes yeux: ce sont les premières que j'ai mangées en beignets. On peut aussi en faire un délicat sorbet au citron ou les mêler à des framboises et à des groseilles. On peut consommer de la même manière les fleurs de *Sambucus nigra* «Aurea».

COMMENT CULTIVER

PAR SEMIS

Semez les baies mûres dehors dans des pots de 2,5 cm (1 po) à la fin de l'automne. Couvrez de plastique ou de verre. Transplantez quand les plantules sont assez grandes et gardez en pot dans une serre fraîche tout l'hiver. Plantez dans le jardin au printemps.

PAR BOUTURAGE

Coupez des boutures semi-ligneuses l'été sur les nouvelles pousses non fleuries. Faites hiverner dans une serre fraîche et gardez en pot pour une saison avant de planter au jardin.

OÙ PLANTER

AU JARDIN

Attention: le sureau noir croît très vite et produit des pousses de 1,2 m (4 pi) en une saison. Vous devez le contrôler avant qu'il ne vous domine. Coupez-le un peu à la fin de l'automne, puis taillez-le au début du printemps, avant le début de la croissance. Le sureau aime la plupart des sols, mais préfère un endroit ensoleillé.

EN POT

Les variétés plus basses, comme *Sambucus nigra* «Aurea», sont superbes dans des pots en terre cuite, placés dans l'ombre partielle pour empêcher les feuilles de brûler.

QUAND RÉCOLTER

Cueillez les fleurs quand elles sont de couleur crème; la saveur des fleurs blanches n'est pas très fraîche. Les sommités fleuries doivent être en parfait état. Pour les faire sécher, déposez-les à l'envers, sans qu'elles se touchent, sur un filet de nylon tendu. Ainsi, elles garderont leur couleur. Ou bien conservez-les dans l'huile ou le vinaigre (voir p. 142).

LA GASTRONOMIE

Cueillez les grappes de fleurs en entier. Enlevez les insectes, puis détachez les sommités des tiges. Les tiges sont amères et peuvent gâcher les plats sucrés.

CONSEIL

Pour manger des fleurs de sureau noir à l'automne, cuisez-les un peu d'abord pour en enlever la toxicité. Sinon, vous souffrirez de gros problèmes digestifs.

TARTE AUX FRAMBOISES ET AUX FLEURS DE SUREAU

Pâte brisée

180 g (6 oz) de farine
1 pincée de sel
125 g (4 1/2 oz) de beurre
1 c. à dessert comble de sucre
1 jaune d'œuf
2 c. à soupe d'eau

Garniture

450 g (1 lb) de framboises
4 c. à soupe de gelée de groseilles rouges
1 c. à soupe de fleurs de sureau

Préchauffez le four à 200 °C (400 °F). Pour la pâte, tamisez farine et sel dans un bol. Incorporez le beurre en frottant du bout des doigts pour obtenir un mélange granuleux, puis ajoutez le sucre. Mélangez jaune d'œuf et eau, puis versez dans un puits au centre de la farine et malaxez pour obtenir une pâte ferme. Pétrissez ensuite sur une planche pour assouplir. Enveloppez la pâte dans une pellicule plastique et réfrigérez au moins 30 minutes. Ensuite, étendez-la au rouleau, tapissez-en un moule à tarte de 18-20 cm (7-8 po), piquez-la et mettez au four environ 25 minutes. Laissez refroidir sur une grille.

Quand la croûte de tarte est froide, couvrez-la de framboises. Mettez la gelée dans une casserole et chauffez pour liquéfier, sans laisser bouillir. Badigeonnez les fruits de gelée, du centre vers l'extérieur. Parsemez les fleurs sur la tarte et réfrigérez. Pour servir, décorez avec d'autres fleurs, si désiré.

CROUSTADE AUX GROSEILLES ET FLEURS DE SUREAU

pour 6 personnes

900 g (2 lb) de groseilles à maquereau
175 g (6 oz) de sucre
2 c. à soupe de fleurs de sureau, séparées en fleurettes individuelles

Croustade

75 g (3 oz) de cassonade
1/4 de c. à thé de quatre-épices
225 g (1/2 lb) de farine
75 g (3 oz) de beurre

Préchauffez le four à 180 °C (350 °F). Pour la croustade, mélangez cassonade, quatre-épices et farine ensemble, puis incorporez le beurre en frottant avec le bout des doigts pour obtenir un mélange granuleux. Lavez et équeutez les groseilles, puis mettez dans un plat à four. Saupoudrez de sucre et étendez la croustade dessus à la fourchette. Faites dorer au four 30 à 40 minutes.

Taraxacum officinale

PISSENLIT

Vivace. Haut. 15-23 cm (6-9 po). Grandes fleurs jaune vif, du printemps à l'automne. Feuilles longues et dentées.

Si le pissenlit était rare, il serait très en demande, que ce soit pour son usage médicinal, ses feuilles excellentes dans les salades ou ses fleurs au doux parfum. Mais comme il envahit nos parterres, on le considère comme un fléau; pourtant, c'est plutôt une manne! Ses fleurs, avec leur saveur douce-amère, sont délicieuses dans les salades et font un excellent vin.

COMMENT CULTIVER

PAR SEMIS

Pour qu'elles ne soient pas amères, il vaut mieux cultiver ces fleurs comme des annuelles. Semez les graines au début du printemps dans des pots ou des modules préparés. N'utilisez pas de caissettes, à cause du développement de la racine pivotante. La germination prend de trois à six semaines.

OÙ PLANTER

AU JARDIN

Pour une récolte de feuilles de salade, ne plantez pas directement en terre, mais transplantez les plantules dehors au début du printemps, en les espaçant de 30 cm (12 po). Au début de l'été, supprimez les fleurs qui dispersent des graines afin que les pissenlits ne se répandent pas partout.

EN POT

Les pissenlits poussent très bien dans les pots ou les jardinières assez grands pour permettre le développement de leur racine pivotante. Il vous faudra peut-être convaincre vos voisins de leur valeur en leur offrant un verre de vin de pissenlit!

QUAND RÉCOLTER

Cueillez les fleurs quand vous en avez besoin et utilisez-les fraîches. Elles se ferment après avoir été cueillies: faites-les flotter sur un bol d'eau et ajoutez à la salade au dernier moment.

LA GASTRONOMIE

C'est une plante qu'on peut consommer en entier. Coupez la fleur aussi près de la tête que possible, puis enlevez la tige et les sépales verts. Les fleurs se marient bien aux feuilles de pissenlit dans une salade avec du bacon. Pour une expérience plus audacieuse, essayez de faire frire les fleurs avec un peu de beurre, puis servez tout de suite. Leur goût est merveilleux et elles peuvent être un ajout original au petit déjeuner ou dans une salade verte.

CONSEIL

Si vous avez envie de cueillir des pissenlits dans un champ, demandez d'abord la permission au fermier (peut-être en lui offrant une bouteille de vin de pissenlit). Vérifiez aussi qu'il n'a pas épandu des produits chimiques dans ce champ.

VIN DE PISSENLIT

Les fleurs devraient être cueillies au moment où elles sont pleinement ouvertes (à midi, et par journée ensoleillée). Ne tardez pas à faire le vin, une fois les fleurs cueillies. Ce vin sera meilleur si on attend un an avant de le consommer

pour 4 bouteilles
3,5 l (15 t.) de fleurs entières de pissenlit
4,5 l (20 t.) d'eau bouillante
2 citrons
1 orange
1,4 kg (3 lb) de sucre
1 c. à thé de levure granulée
1 c. à thé de nutriment de vinification
450 g (1 lb) de raisins secs

Enlevez tout le vert (tige, sépales, etc.) des fleurs, en laissant la tête entière. Mettez les fleurs lavées dans un grand bol (non métallique) et versez l'eau bouillante dessus. Couvrez et laissez reposer 3 jours, en remuant une fois par jour. Le quatrième jour, versez dans une marmite avec le sucre et le zeste des citrons et de l'orange, puis portez à ébullition en remuant pour dissoudre le sucre. Remettez le mélange dans le bol et incorporez jus et pulpe des citrons et de l'orange. Laissez refroidir, puis ajoutez la levure et le nutriment. Couvrez et laissez reposer 3 jours dans un endroit tiède. Filtrez le liquide, versez dans des bouteilles de fermentation avec les raisins secs répartis également et mettez des purgeurs. Laissez fermenter jusqu'au bout; rangez dans des casiers quand le vin se clarifie. Vous pourrez boire à Noël le vin fait en avril, mais il vaut mieux attendre six mois de plus.

SALADE DE PISSENLIT ET BACON

pour 4 personnes
225 g (1/2 lb) de feuilles de pissenlit
1 c. à soupe de pétales de pissenlit
2 fleurs de pissenlit entières, pour décorer
100 g (4 oz) de bacon

Vinaigrette
145 ml (5 oz) de yogourt nature
1 c. à soupe d'huile de tournesol
2 c. à thé de vinaigre de vin blanc
1 c. à thé de moutarde de Meaux

Lavez et séchez feuilles et fleurs de pissenlit. Déchirez les feuilles et mettez dans un saladier, puis ajoutez les pétales. Mélangez bien tous les ingrédients de la vinaigrette. Faites cuire le bacon sur un gril chaud, en retournant une fois. Puis coupez en petits morceaux et ajoutez à la salade. Versez la vinaigrette dessus et touillez bien. Décorez avec les fleurs de pissenlit et servez.

Thymus vulgaris et ssp.

THYM

Vivace. Haut. 30 cm (12 po). Minuscules fleurs mauves, roses, rouges, violettes ou blanches, en été. Petites feuilles aromatiques vertes ou panachées.

Il existe de nombreuses espèces de thym: on en compte plus de 120 dans un seul répertoire de plantes! Ces plantes se collectionnent bien (j'en possède plus de 35) et la saveur des fleurs complète celle des feuilles. Mais n'en mettez pas trop, car elles ont beaucoup de goût. Elles accompagnent bien la viande, le poisson et les légumes, surtout si le plat comprend des tomates. Voici certaines variétés intéressantes: thym-citron *(T. x citriodorus)*, thym à tige longue *(T. longicaulis)*, thym orangé (*T. x citriodorus* «Fragrantissimus») et thym camphorique *(T. camphoratus)*.

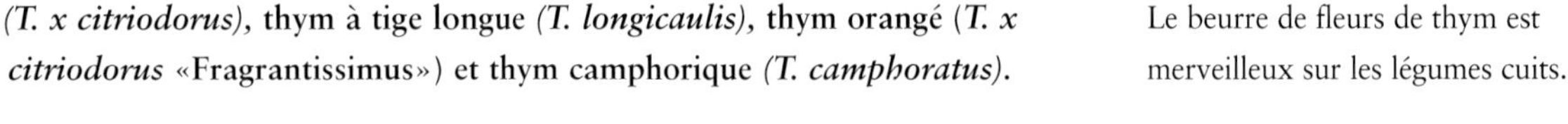

Le beurre de fleurs de thym est merveilleux sur les légumes cuits.

COMMENT CULTIVER

PAR SEMIS

En général, il vaut mieux cultiver le thym par bouturage ou par division, sauf pour le thym commun *(T. vulgaris)* et le thym grimpant sauvage (*T. præcox* ssp. *arcticus*). Semez les graines sur la surface de caissettes ou modules préparés, sans couvrir, avec une température de fond de 15-21 °C (60-70 °F) pour accélérer la germination.

PAR DIVISION

On peut propager par division les variétés grimpantes au printemps. Cela incitera une nouvelle croissance de la plante et l'empêchera de devenir trop ligneuse au centre.

PAR BOUTURAGE

Coupez des boutures sur les nouvelles pousses au début du printemps ou de l'été.

OÙ PLANTER

AU JARDIN

Plantez au jardin quand le sol s'est réchauffé et qu'il n'y a plus risque de gel. Si vous semez directement dans le jardin, éclaircissez les plantules à 20 cm (8 po) quand elles sont assez grandes pour être manipulées.

EN POT

Toutes les variétés de thym s'y plaisent bien. Assurez-vous que le terreau est assez pauvre et bien aéré. Si le sol est trop riche, la plante fleurira moins et produira plus de feuilles, dont le goût sera moins bon. Pour obtenir une meilleure saveur, placez dans un endroit ensoleillé.

QUAND RÉCOLTER

Cueillez les petites fleurs quand elles s'ouvrent et selon vos besoins. Une bonne façon de les conserver est d'en faire une huile ou un vinaigre floral (voir p. 142).

LA GASTRONOMIE

Les fleurs de thym sont délicieuses dans les plats à base de tomate (les sauces pour pâtes, par exemple) ou ceux comprenant du fromage. Elles peuvent aussi raviver le goût du fromage cottage, mais n'en mettez pas trop, car leur goût peut être assez fort.

CONSEIL

Il faut tailler le thym après la floraison pour l'empêcher de devenir ligneux et encourager la croissance.

TRUITE GRILLÉE AVEC FLEURS DE THYM

pour 4 personnes

4 brins (feuilles et tiges) de thym
4 truites, lavées et éviscérées
beurre de fleurs de thym
4 c. à soupe de fleurs de thym, détachées de la tige

Mettez un brin de thym sur chaque truite et déposez sur la grille d'un barbecue chaud. Étalez du beurre de fleurs de thym sur la partie supérieure du poisson et cuisez 10 minutes. Retournez et étalez du beurre sur l'autre côté. Quand le poisson est cuit, retirez du feu, disposez sur un plat de service et parsemez de fleurs de thym. Servez avec une salade verte et des pommes de terre au four.

TREMPETTE DE FLEURS DE THYM ET AUBERGINES

pour 6 à 8 personnes

1 grosse aubergine, pelée
2 c. à soupe d'huile d'olive
450 g (1 lb) de yogourt nature
1 c. à soupe de feuilles de thym, hachées fin
2 gousses d'ail, écrasées
2 c. à soupe de jus d'orange
sel et poivre noir frais moulu
1 c. à soupe de fleurs de thym

Coupez l'aubergine en dés et mettez dans une passoire. Salez et laissez dégorger 30 minutes. Puis rincez à l'eau froide et asséchez avec un linge.

Chauffez l'huile dans une sauteuse et cuisez l'aubergine 8 à 10 minutes pour attendrir et dorer, en retournant de temps à autre. Retirez du feu et déposez dans un robot de cuisine. Réduisez en purée avec yogourt, feuilles de thym, ail, jus d'orange, sel et poivre. Versez dans un plat de service et incorporez la moitié des fleurs. Décorez avec le reste des fleurs. Couvrez et réfrigérez. Servez avec du pain pita grillé.

Trifolium pratense

TRÈFLE DES PRÉS

❖

Vivace rustique. Haut. 10-40 cm (4-16 po). Minuscules fleurs rondes et aplaties poussant en grappes, tout l'été. Feuilles ovales vertes, souvent marquées de blanc.

Quel plaisir voluptueux que de s'étendre sur la pelouse et d'observer les abeilles autour des trèfles ou encore de marcher dans un champ en cueillant les fleurs de trèfle et en suçant leur doux nectar... Il est tout naturel de vouloir consommer ces fleurs. Elles sont délicieuses dans les salades et avec les légumes. Il existe plusieurs variétés de trèfle, qui sont toutes comestibles. Citons, entre autres, le trèfle rampant *(Trifolium repens)*, une plante vivace, et le trèfle incarnat *(Trifolium incarnatum)*, une plante annuelle. Cette variété est cultivée comme fourrage et on peut aussi en voir le long des routes.

CONSEIL

Depuis les temps anciens, on utilise cette plante comme soporifique.

COMMENT CULTIVER

PAR SEMIS

On peut cultiver le trèfle des prés par semis si on prépare d'abord les graines en les frottant entre deux feuilles de papier d'émeri, ce qui aidera la germination. Semez les graines sur la surface de caissettes ou modules préparés, en pressant dessus mais en ne couvrant pas.

OÙ PLANTER

AU JARDIN

Trifolium pratense est la vraie forme sauvage du trèfle des prés. Méfiez-vous des variétés horticoles, qui sont plus communes et peuvent envahir le jardin. Cette plante préfère un sol bien aéré légèrement humide, même si elle peut supporter un peu de sécheresse.

EN POT

Si vous voulez composer une jardinière de plantes sauvages, le trèfle des prés est un bon choix, avec la pensée sauvage *(Viola tricolor)* et le pissenlit *(Taraxacum officinale)*.

QUAND RÉCOLTER

Cueillez la fleur complète avant que sa couleur ne s'atténue. Il vaut mieux la consommer fraîche, car elle ne se conserve pas bien.

LA GASTRONOMIE

Pour obtenir une meilleure saveur, il faut détacher les fleurettes individuelles et enlever toutes les parties vertes. Parsemez-les sur une salade ou des légumes juste avant de servir.

COURGETTES AUX FLEURS DE TRÈFLE

pour 4 personnes

2 courgettes vertes
2 courgettes jaunes
1 c. à dessert d'huile d'olive
1 gousse d'ail, écrasée
sel et poivre noir frais moulu
2 c. à soupe de fleurs de trèfle, séparées en fleurettes

Lavez les courgettes et coupez-en les bouts. Plongez dans un faitout d'eau bouillante et cuisez 4 minutes. Retirez du feu, égouttez et tranchez. Chauffez l'huile dans une sauteuse, ajoutez ail, courgettes, sel et poivre, et faites revenir doucement. Disposez sur un plat de service et décorez avec les fleurettes.

CŒURS D'ARTICHAUTS AVEC FLEURS DE TRÈFLE ET CONCOMBRE

pour 4 personnes

60 g (2 oz) de beurre
45 g (1 1/2 oz) de farine
450 ml (2 t.) de lait
150 ml (5 oz) de crème
1-2 gouttes de tabasco
1 c. à soupe d'aneth, haché
1 concombre pelé ou non, en dés
sel et poivre noir frais moulu
4 cœurs d'artichauts frais ou en conserve, coupés en deux
1 laitue croquante, en lanières
6 fleurs de trèfle, séparées en fleurettes individuelles (sans parties vertes)

Faites fondre le beurre dans une casserole, ajoutez la farine en remuant et cuisez 2 minutes. Incorporez graduellement lait, crème, tabasco et aneth. Mélangez bien et ajoutez le concombre, puis laissez mijoter quelques minutes. Salez et poivrez, puis ajoutez les cœurs d'artichauts. Disposez la laitue sur des assiettes et déposez une cuillerée du mélange au centre, en incluant un cœur d'artichaut dans chacune. Décorez avec les fleurettes de trèfle et servez.

Tropæolum majus

GRANDE CAPUCINE

Annuelle rustique. Haut. moyenne 30 cm (12 po). Fleurs rouges, orange et jaunes, de l'été au début de l'automne. Feuilles rondes vert moyen.

L'habitude de manger les pétales de cette joyeuse annuelle vient de l'Orient. Les fleurs ont un parfum un peu poivré et un goût fort de poivre s'harmonisant bien avec le fromage à la crème, les salades et les légumes. Il existe plusieurs variétés intéressantes de capucines: *Tropæolum majus* «Alaska», aux feuilles panachées blanches et crème et aux fleurs rouges, orange et jaunes, et *Tropæolum majus* «Empress of India», aux belles fleurs rouge foncé.

COMMENT CULTIVER

PAR SEMIS

Pour une floraison au début de l'été, semez les graines au début du printemps dans des pots ou modules préparés et bien protégés, puis couvrez de terreau. Ou semez directement dans le jardin en les espaçant de 20 cm (8 po), quand il n'y a plus risque de gel et que le sol s'est réchauffé.

OÙ PLANTER

AU JARDIN

Les capucines aiment un sol perméable, à un endroit ensoleillé ou un peu ombragé. Si le sol est riche, la plante produira des feuilles au détriment des fleurs.

EN POT

Cette plante pousse très bien dans les pots, paniers suspendus ou jardinières de fenêtres. Mais il est très important de ne pas utiliser un terreau trop riche, ce qui nuirait à la floraison.

QUAND RÉCOLTER

Cueillez les fleurs dès qu'elles s'ouvrent. Utilisez-les fraîches, car on ne peut pas les faire sécher.

LA GASTRONOMIE

À cause de leur saveur poivrée, les capucines se marient bien aux salades. Elles relèvent aussi le fromage à la crème, les pommes de terre et la crème fraîche.

CONSEIL

Les insectes peuvent nuire aux capucines (surtout les pucerons et les chenilles). Délogez-les avec un boyau d'arrosage si l'infestation est mineure. S'il y en a beaucoup, utilisez un savon insecticide, en suivant le mode d'emploi.

POMMES DE TERRE AUX CAPUCINES

J'ai créé cette recette pour utiliser les restes de pommes de terre. Si possible, utilisez des capucines «Empress of India» rouge foncé.

pour 4 personnes

250 g (1/2 lb) de pommes de terre nouvelles, cuites
6 fleurs de capucine
6 jeunes feuilles de capucine
2 fleurs entières de capucine, pour décorer

Vinaigrette
1 c. à soupe de vinaigre de vin blanc
3 c. à soupe d'huile d'olive
1 pincée de cassonade
1 c. à thé de moutarde forte
sel et poivre noir frais moulu

Mélangez tous les ingrédients de la vinaigrette. Détachez les pétales des fleurs et ajoutez à la vinaigrette. Coupez les pommes de terre, hachez les feuilles et mettez dans un saladier. Juste avant de servir, versez la vinaigrette, touillez bien et décorez avec les fleurs entières.

SALADE DE CAPUCINES

pour 4 personnes
pétales de 6 fleurs de capucine
6 jeunes feuilles de capucine
2 c. à soupe de roquette
1 laitue croquante, lavée et séparée
5 fleurs entières de capucine

Vinaigrette
1 c. à soupe de vinaigre de vin blanc
3 c. à soupe d'huile d'olive
1 gousse d'ail, écrasée
1 c. à thé de moutarde forte

Mélangez pétales, feuilles, roquette et laitue dans un saladier. Préparez la vinaigrette en mélangeant bien tous les ingrédients. Avant de servir, versez sur la salade, touillez et décorez avec les fleurs entières.

Valeriana officinalis
VALÉRIANE

Vivace rustique. Haut. 1-1,2 m (3-4 pi). Grappes de fleurs blanc rosé, en été. Feuilles lancéolées vert moyen très dentées.

Les fleurs, qui poussent en grappes près des cours d'eau ou dans les marécages, dégagent un parfum musqué embaumant les jours d'été. Mais les racines, quand elles sont exposées à l'air, sentent très mauvais. Les fleurs ont un goût aromatique chaleureux qui accompagne bien les fruits, surtout les nectarines, les bananes et les fruits de la passion. Ne confondez pas *Valeriana officinalis* avec *Centhranthus ruber* (valériane rouge, ci-dessous à droite), qui pousse sur les murs et les rochers, et qui n'est PAS comestible.

COMMENT CULTIVER

PAR SEMIS

Semez les graines au printemps dans des caissettes ou modules préparés. Pressez dans le sol, mais ne couvrez pas de terreau ou de vermiculite. Puis transplantez les plantules avec un espacement de 60 cm (24 po).

OÙ PLANTER

AU JARDIN

Plantez la valériane là où ses racines seront au frais (ex.: près de l'eau). Elle pousse dans la plupart des sols, au soleil ou à l'ombre. Les chats aiment l'odeur des racines de cette plante, alors surveillez-les pour qu'ils ne la déterrent pas.

EN POT

La valériane est un peu trop grosse pour pousser en pot, où ses racines auraient trop chaud en été. Je ne le conseille donc pas.

QUAND RÉCOLTER

Cueillez les fleurs quand elles s'ouvrent: il est plus facile de prendre toute la grappe. Enlevez bien toutes les parties vertes avant de consommer. Utilisez-les fraîches, car elles ne se conservent pas bien.

LA GASTRONOMIE

Les fleurs ont un goût musqué se mariant bien avec les fruits. La première fois que j'en ai mangé, c'était sur des bananes grillées dans leur peau au barbecue. Tout à fait délicieux! La recette de la page 133 en est une adaptation.

CONSEIL

La valériane, plantée près des légumes, active leur croissance en stimulant l'activité des vers de terre.

SALADE DE FRUITS AUX FLEURS DE VALÉRIANE

pour 4 personnes

2 fruits de la passion
3 c. à soupe de jus de pomme
3 kiwis, pelés et tranchés
1 c. à soupe de fleurs de valériane

Coupez les fruits de la passion en deux et mettez la pulpe dans un saladier. Ajoutez jus de pomme et kiwis. Touillez et décorez avec les fleurs.

BANANES AU FOUR AVEC FLEURS DE VALÉRIANE

pour 4 à 6 personnes

8 bananes, pelées
8 g (1/4 oz) de beurre
1 c. à soupe de sucre roux
1 c. à soupe de sherry
2 c. à soupe de fleurs de valériane

Préchauffez le four à 180 °C (350 °F). Tranchez les bananes, déposez dans un plat à four et parsemez de noix de beurre et de sucre, puis aspergez de sherry.

Disposez la moitié des fleurs sur les bananes, couvrez et mettez au four 15 à 20 minutes, pour attendrir. Retirez du four et décorez avec le reste des fleurs. Servez avec de la crème fraîche ou à fouetter.

Viola odorata

VIOLETTE ODORANTE

Vivace rustique. Haut. 7 cm (3 po). Fleurs odorantes mauves, blanches, roses ou violettes, au début du printemps. Feuilles vertes en forme de cœur.

Je me rappelle avoir mangé, quand j'étais enfant, des chocolats aux violettes de Parme (hybride de la violette odorante), avec une fleur cristallisée sur le dessus. Le goût et l'arôme sont gravés dans ma mémoire, et j'ai toujours trouvé que ces fleurs goûtent ce qu'elles sentent. La violette commune *(Viola riviniana)* et la violette des bois *(Viola reichenbachiana)* sont aussi comestibles, mais elles n'ont pas cette saveur et cet arôme parfumés. Mais elles sont aussi jolies sur les salades vertes ou les salades de pommes de terre.

COMMENT CULTIVER

PAR SEMIS

Semez les graines dans des caissettes ou modules préparés avec un terreau à base de terre, recouvrez de terreau et arrosez bien. Couvrez de verre ou de plastique et placez dehors ou dans une serre froide, pour que les graines soient exposées au gel (ce qui facilitera la germination).

PAR DIVISION

Les violettes produisent des stolons: enlevez ceux-ci à la fin du printemps et replantez dans un endroit préparé au jardin, en espaçant de 30 cm (12 po).

OÙ PLANTER

AU JARDIN

Les violettes poussent habituellement à l'abri des haies: plantez-les dans votre jardin en leur donnant un peu d'ombre. Elles préfèrent un sol modérément lourd, riche en humus; si votre sol est léger, ajoutez-y du fumier bien décomposé.

EN POT

Les violettes y poussent bien si elles ont un peu d'ombre. L'hiver, il leur faut un peu de froid pour stimuler leur croissance.

QUAND RÉCOLTER

Cueillez les fleurs dès qu'elles s'ouvrent. Vous pouvez les utiliser fraîches, les cristalliser (voir p. 142) ou les conserver dans l'huile, le beurre ou le vinaigre (voir p. 138).

LA GASTRONOMIE

J'ai toujours associé les violettes au chocolat. Voici donc une recette de ma grand-mère pour des «Petits pots de crème»: prenez 3 morceaux de chocolat, 2 1/2 t. de lait et 4 jaunes d'œufs. Faites fondre le chocolat, incorporez lait, œufs et 2 c. à soupe de sucre. Mélangez bien, versez dans des ramequins et cuisez 25 minutes dans un plat d'eau. Pour une version plus moderne, voyez ci-contre.

CRÈME AU CHOCOLAT ET AUX VIOLETTES

pour 6 personnes

600 ml (2 1/2 t.) de lait
4 jaunes d'œufs
2 c. à soupe de sucre
100 g (4 oz) de chocolat
150 ml (5 oz) de crème fouettée
6 violettes cristallisées

Préchauffez le four à 180 °C (350 °F). Suivez le mode d'emploi de ma grand-mère jusqu'à «versez dans les ramequins». Placez ceux-ci dans un plat à four profond avec de l'eau, posé sur une lèchefrite. Mettez au four 12 à 15 minutes pour faire prendre. Laissez refroidir puis réfrigérez. Servez avec une cuillerée de crème fouettée et une violette cristallisée au centre.

SORBET À LA VIOLETTE

pour 4 personnes

24 fleurs de violette odorante
75 g (3 oz) de sucre
300 ml (1 1/4 t.) d'eau
jus de 1 gros citron
1 blanc d'œuf
8 fleurs de violette odorante, pour décorer

Si nécessaire, lavez et asséchez les fleurs. Mettez sucre et eau à bouillir dans une casserole, en remuant pour dissoudre le sucre. Ajoutez les 24 fleurs, couvrez et éteignez le feu, en laissant les violettes infuser 20 minutes. Si la saveur est trop faible, reportez à ébullition, retirez tout de suite du feu et laissez infuser 5 minutes. Versez le sirop à la violette dans un plat solide, remuez et laissez refroidir. Vous pouvez alors enlever les violettes, si vous le désirez. Mettez le sirop au congélateur 1 heure, pour faire congeler à moitié. Montez le blanc d'œuf en neige ferme dans un bol, puis incorporez au sorbet à demi congelé. Remettez au congélateur 1 heure. Pour servir, déposez le sorbet à la cuiller dans des coupes et décorez chacune avec deux fleurs de violette fraîches ou cristallisées.

Viola tricolor
PENSÉE SAUVAGE

❖

Vivace rustique, souvent cultivée comme annuelle.
Haut. 15-30 cm (6-12 po). Petites fleurs tricolores, du printemps à l'automne. Feuilles vertes très lobées.

Les couleurs de ces fleurs varient beaucoup, mais elles combinent habituellement le violet, le jaune et le blanc. Dans le langage des fleurs, leur nom signifie: «Pense à moi». Leur goût est un mélange de celui de la violette (elles sont apparentées à *Viola odorata*) et de celui de la laitue douce. J'explique ici comment utiliser la pensée sauvage, mais cela s'applique aussi à la pensée des jardiniers *(Viola x wittrockiana)*. Les deux fleurs se marient bien aux salades vertes, aux salades de fleurs et aux salades de fruits (surtout de poires, pêches et melons).

COMMENT CULTIVER
PAR SEMIS

Semez les graines à l'automne dans des caissettes ou modules préparés et protégés. Ne couvrez pas. Transplantez les plantules au jardin ou dans des pots au printemps, dès qu'il n'y a plus risque de gel.

OÙ PLANTER
AU JARDIN

Cette plante pousse dans n'importe quel sol à un endroit ensoleillé ou semi-ombragé; plantez en espaçant de 15 cm (6 po). Si vous semez directement dans le jardin, pressez les graines dans le sol, mais ne couvrez pas.

EN POT

Ces petites fleurs sont idéales pour la culture dans des paniers suspendus, des jardinières ou des pots de terre cuite.

Utilisez les fleurs autant que possible et, pour étirer la floraison, supprimez les fleurs mortes à mesure qu'elles se flétrissent.

QUAND RÉCOLTER
Cueillez les fleurs quand elles sont bien ouvertes, du printemps jusqu'à la fin de l'automne. Utilisez-les fraîches, mais, si nécessaire, vous pouvez les faire sécher.

LA GASTRONOMIE
Cette fleur a un goût très doux. Son avantage est qu'on peut la consommer en entier, incluant pistil et étamines. C'est une décoration complètement comestible, qui ajoute saveur et couleur à toutes les salades. Et son goût discret a l'avantage de ne pas masquer la saveur du plat.

CONSEIL
Une infusion de fleurs de pensée sauvage est un remède traditionnel pour les peines d'amour.

PENSÉES «PRINCE HENRY» EN CANTALOUP

Viola «Prince Henry» est une autre variété comestible, avec des fleurs bleu violet.

Pour 2 personnes
1 cantaloup
6 fleurs de Viola *«Prince Henry»*
2 c. thé de Cointreau

Coupez le cantaloup en deux et épépinez, en réservant le jus. Mêlez jus de cantaloup et Cointreau, puis versez dans les deux moitiés de cantaloup. Pour décorer, faites-y flotter les fleurs. Réfrigérez et servez froid.

POIRES ET PENSÉES AU VIN ROUGE

pour 6 personnes
145 g (5 oz) de sucre
150 ml (5 oz) de vin rouge
quelques zestes de citron
1 petit bâton de cannelle
150 ml (5 oz) d'eau
6 poires mûres (avec le cœur et la queue), pelées
1 c. à thé d'arrow-root
3-4 c. à soupe de fleurs entières de pensée sauvage

Préparez un sirop en mettant dans une grande casserole sucre, vin, zestes, cannelle et eau. Portez lentement à ébullition en remuant de temps à autre, puis laissez mijoter 1 minute. Déposez les poires dans le sirop et pochez 20 à 30 minutes, pour attendrir et bien cuire. Retirez les poires et filtrez le sirop à la passoire. Mélangez l'arrow-root à un peu d'eau, puis ajoutez au sirop. Remettez celui-ci sur le feu, en remuant pour éclaircir. Disposez les poires sur un plat de service, déposez le sirop à la cuiller et décorez avec les fleurs. Réfrigérez, puis servez froid.

LA CONSERVATION DES FLEURS

Il n'est pas aussi difficile qu'on pourrait le croire de conserver les fleurs pour les utiliser en cuisine. Dans la plupart des cas, il s'agit de préserver la saveur plutôt que la fleur elle-même ou son parfum. Les plantes fleurissent en général une fois par année, et il est important de profiter de ce moment pour prolonger le temps d'utilisation des fleurs. Les techniques traditionnelles de séchage et de congélation ne s'adaptent pas aisément à la préservation de la saveur des fleurs. Je préfère utiliser le beurre, l'huile, le vinaigre, la gelée et le sirop, dans lesquels le goût des fleurs se conserve bien. Et pour conserver une fleur entière, je recommande une méthode idéale: la cristallisation.

LES CONSERVES FLORALES

Dans les recettes qui suivent, je fournis des renseignements généraux. Il existe plusieurs variations différentes, dont les diverses possibilités de combinaison des fleurs. Pour des informations plus spécifiques, reportez-vous aux fiches individuelles des fleurs.

Beurre floral

On peut utiliser du beurre floral dans toute recette demandant du beurre. Par exemple, le beurre de pétales de rose est délicieux dans un gâteau à l'ancienne ou une sauce blanche ainsi que sur du pain ou des muffins. Et le beurre de monarde est excellent pour une béchamel accompagnant le poulet ou le poisson. Pour un potage aux carottes, faites suer les carottes dans un beurre de fleurs de thym avant d'ajouter le bouillon. Les possibilités sont illimitées.

8 c. à soupe de pétales de fleurs préparées
250 g (1/2 lb) de beurre doux, amolli

Hachez fin les pétales. Mettez le beurre dans un bol, ajoutez les pétales et mélangez bien. Couvrez et laissez reposer quelques heures à la température ambiante. Déposez dans un contenant hermétique et réfrigérez quelques jours pour laisser la saveur se développer. Ce beurre se conservera environ 2 semaines au réfrigérateur et 3 mois au congélateur.

Sucre floral

Le sucre floral peut remplacer le sucre ordinaire dans plusieurs recettes, mais sa saveur n'est pas aussi forte que celle du beurre floral. Les meilleurs sucres floraux contiennent des fleurs au parfum doux mais spécifique: lavande, rose, violette, œillet, menthe, agrumes. Les meringues au sucre floral sont sublimes.

350 g (3/4 lb) de sucre
8-16 c. à soupe de pétales de fleurs, hachés

Mettez sucre et fleurs dans un robot de cuisine ou un mélangeur et malaxez bien. Déposez le sucre floral dans un bocal de verre, couvrez bien et laissez reposer une semaine. Ensuite, tamisez sucre et fleurs à travers une passoire moyenne, puis rangez dans un contenant hermétique. Si vous le désirez, vous pouvez alterner les couches de sucre et de fleurs (voir la photographie du sucre de lavande, à la p. 139). C'est très décoratif, mais peu pratique, car vous risquez de retrouver trop de fleurs dans vos meringues! Mais le goût du premier niveau de sucre est divin.

Sirop floral

Ce sirop est très utile et convient aux salades de fruits, aux sorbets et à tous les desserts nécessitant un sirop aromatique.

300 ml (1 1/4 t.) d'eau
450 g (1 lb) de sucre
8-16 c. à soupe de pétales de fleurs ou 6 fleurs entières (ex.: sureau noir, reine-des-prés, cerfeuil musqué, etc.)

Faites bouillir l'eau dans une casserole, baissez le feu et ajoutez le sucre en remuant constamment. Quand il est dissous, incorporez les pétales en remuant de temps à autre et faites mijoter jusqu'à 8 minutes, pour obtenir un sirop. Filtrez le sirop à travers une passoire fine ou une étamine pour enlever les morceaux de fleurs. Versez dans un bocal de verre propre, laissez refroidir, scellez et réfrigérez jusqu'à 2 semaines.

Gelée florale

Si vous avez beaucoup de pommes, c'est une façon exquise de préserver la saveur des fleurs jusqu'à l'hiver. Cette gelée exquise fera les délices des enfants et des amis.

pour environ 4 bocaux de 450 g (1 lb)
1,75 kg (4 lb) de pommes à cuire, lavées et hachées, sans le cœur
1,75 l (7 1/2 t.) d'eau
1 kg (2,2 lb) de sucre
6 grandes fleurs entières (ex.: sureau noir, reine-des-prés, cerfeuil musqué) ou 8-16 c. à soupe de fleurs (ou un mélange de fleurs, au goût)
4 c. à soupe de jus de citron

Mettez les pommes dans un faitout, ajoutez l'eau, couvrez et amenez à ébullition, puis laissez mijoter pour attendrir les pommes (environ 20 à 30 minutes selon les variétés).

Versez dans un sac à gelée ou d'étamine et laissez égoutter une journée dans un grand bol. Mesurez le jus obtenu et ajoutez-y 450 g (1 lb) de sucre par

600 ml (2 1/2 t.) de jus. Mettez dans une casserole et faites bouillir avec les fleurs dans un sachet d'étamine. Si vous voulez décorer la gelée avec des fleurs, réservez-en 1 c. à soupe. Laissez mijoter environ 20 minutes, jusqu'au point de prise. Retirez le sachet de fleurs et écumez à la surface. Incorporez le jus de citron et 1 c. à soupe des fleurs, si désiré. Versez dans des bocaux de verre chauds. Laissez refroidir, puis scellez, étiquetez et datez.

Huile florale

J'aime bien les huiles aromatisées. C'est une merveilleuse façon de préserver la saveur des plantes pour les utiliser dans la cuisson ou les vinaigrettes. Le goût délicat de l'huile convient aux fleurs qui ont beaucoup de goût: basilic, monarde, thym et sauge.

1 bocal de confiture rempli de fleurs, espèces mélangées ou non
huile d'olive (mais pas extra vierge) ou végétale (au goût léger), pour couvrir

Mettez les pétales ou fleurs entières dans un bocal propre (à couvercle vissé) et couvrez d'huile. Il est important que l'huile couvre complètement les fleurs, sinon elles pourriront. Placez le bocal sur un bord de fenêtre ensoleillé et agitez-le de temps à autre dans le mois qui suit. À la fin du mois, filtrez l'huile à travers un filtre à café propre. Versez l'huile filtrée dans une jolie bouteille et ajoutez-y une fleur complète ou quelques pétales, pour décorer.

Vinaigre floral

Comme l'huile florale, le vinaigre est facile à préparer et ajoute un goût raffiné à vos sauces, vinaigrettes et marinades. Le vinaigre floral a un autre avantage: comme il est chauffé avec les fleurs, le vinaigre prend une autre couleur (jaune orangé avec les capucines, rose foncé avec les pétales de rose rouge et lavande rosée avec les fleurs de ciboulette).

450 ml (2 t.) de vinaigre de vin blanc
4-8 c. à soupe de pétales de fleurs

Pour la cuisson du vinaigre, n'utilisez pas de casserole en aluminium (qui réagit au contact de l'acide), mais plutôt en acier inoxydable ou en verre. Chauffez le vinaigre sur feu doux, mais sans faire bouillir. Mettez pétales ou fleurs dans un bocal avec couvercle non métallique et versez dessus le vinaigre chauffé, jusqu'à environ 1,5 cm (1/2 po) du bord. Laissez refroidir à température ambiante avant de mettre le couvercle. Laissez reposer 3 à 4 semaines, puis filtrez et versez dans une jolie bouteille. Ajoutez-y une fleur ou des pétales frais pour décorer. La préparation peut aussi se faire avec du vinaigre froid; déposez simplement les bouteilles contenant fleurs et vinaigre (bouchons bien fermés) devant une fenêtre ensoleillée. Agitez les bouteilles chaque jour et, après deux ou trois semaines, vérifiez le goût et l'arôme du vinaigre. S'ils sont satisfaisants, filtrez et versez dans une bouteille propre, avec des fleurs ou pétales comme décoration.

Fleurs cristallisées

Il existe plusieurs méthodes pour cristalliser les fleurs. La plus commune consiste à les tremper dans le blanc d'œuf battu avec du sucre et de l'alcool (facultatif). Mais celle que je préfère utilise de la gomme arabique et de l'eau de rose. Ceci préservera les fleurs quelques mois si on les garde dans un contenant hermétique. Mais il faut être patient, car cette méthode prend du temps.

1 c. à soupe d'eau de rose (en vente dans les pharmacies; spécifiez que vous l'utiliserez en cuisine: on vous donnera celle qui contient des sels minéraux, nécessaires pour éliminer les bactéries)
1 c. à thé de gomme arabique en poudre (en pharmacie ou boutique spécialisée)
sucre à glacer ou ordinaire
2 petits pinceaux propres (d'artiste, de préférence)
papier sulfurisé ou ciré
grille
contenants hermétiques

Lorsqu'on cristallise des fleurs, il faut être bien préparé, car, pour de bons résultats, les fleurs doivent être très fraîches. Préparez d'abord la solution de gomme arabique: versez l'eau de rose dans un petit bocal (avec une large ouverture et un bon couvercle) et ajoutez la gomme arabique. Fermez le bocal et agitez bien pour dissoudre la poudre (environ 1 ou

2 min.). Il faut mettre l'eau de rose en premier, sinon ce sera très difficile de dissoudre complètement la gomme arabique.

Cueillez les fleurs à la fin de la matinée et prenez les plus belles. Plongez d'abord dans l'eau pour enlever les insectes et la poussière, puis asséchez sur du papier absorbant. Coupez la tige et les autres parties vertes, ainsi que l'onglet blanc des pétales de rose et d'œillet-giroflée. Immergez complètement les fleurs, une à la fois, dans la solution de gomme arabique. Retirez du bocal avec un des pinceaux et déposez sur du papier couvert de sucre. Parsemez les fleurs de sucre et utilisez l'autre pinceau pour enlever les gros morceaux de sucre au centre. Faites sécher les fleurs enrobées de sucre sur du papier sulfurisé déposé sur la grille du four froid, avec la porte entrouverte. Quand les fleurs sont fermes, rangez en couches séparées par du papier sulfurisé dans des contenants hermétiques.

La congélation

C'est une manière répandue de conserver les fines herbes à cause de sa rapidité et de sa simplicité. Mais elle ne convient qu'à quelques fleurs et, même pour celles-ci, il vaut mieux qu'elles soient en boutons. L'hémérocalle est celle qui se congèle le mieux.

Cueillez les fleurs et, si nécessaire, rincez à l'eau froide et asséchez délicatement. Puis mettez dans des casiers individuels et placez dans le coin le plus froid du congélateur. Quand elles sont gelées, gardez-les quelques-unes ensemble dans un sac de plastique, puis mettez les sacs dans un contenant rigide pour qu'elles ne s'abîment pas. Inutile de décongeler les fleurs à l'avance: ajoutez-les telles quelles aux plats.

Une autre façon de congeler, qui convient aux petites fleurs, consiste à utiliser des glaçons. On peut ajouter ces glaçons floraux aux boissons, salades de fruits et autres desserts. La bourrache, par exemple, est très décorative ainsi congelée (voir p. 145).

CHAMPAGNE

LE SÉCHAGE DES FLEURS

Je ne suis pas une adepte du séchage des fleurs utilisées en cuisine parce qu'avec ce procédé, même s'il est fait rapidement, les fleurs perdent leurs couleurs vives et leur texture unique. Voici quand même la façon de procéder.

L'endroit choisi pour sécher les fleurs doit être sombre, chaud et bien ventilé. Ce peut être:

1. un four à basse température, avec la porte entrouverte;
2. un placard-séchoir;
3. un réchaud de cuisinière;
4. une pièce inutilisée avec les rideaux fermés et la porte ouverte;
5. un grenier à l'ancienne immédiatement sous le toit (s'il ne devient pas trop chaud).

La température doit être maintenue un peu au-dessous de celle du corps, 21-33 °C (70-90 °F). Si vous utilisez le four, placez les fleurs sur du papier brun troué et vérifiez de temps à autre que les fleurs ne surchauffent pas.

Selon une autre méthode de séchage, on doit étendre les fleurs en une seule couche sur des plateaux ou des treillis de bois couverts de filet ou d'étamine et placés à un endroit avec une bonne circulation d'air. Les boîtes de bois peu profondes servant au transport des fruits et légumes sont idéales, puisqu'on peut les empiler tout en assurant une bonne ventilation. Il faut retourner les fleurs à la main quelques fois pendant les deux premiers jours.

Une dernière façon consiste à attacher 8 à 10 tiges de fleurs ensemble et à les suspendre à des cintres à vêtements dans une pièce sombre et aérée jusqu'à ce qu'elles soient sèches. Ne pressez pas trop les fleurs, car il faut que l'air puisse circuler entre elles.

La durée du séchage est variable. Le facteur le plus important est l'état de la fleur. Si les fleurs sont rangées avant d'être complètement sèches, elles réabsorberont l'humidité de l'air ambiant et s'endommageront. Les pétales de fleurs devraient être raides et se casser en morceaux si on les touche, mais non se réduire en poudre.

JARDINS DE PLANTES COMESTIBLES

Les quatre arrangements sur le thème des fleurs comestibles présentés ici peuvent être reproduits tels quels ou adaptés à vos goûts et à votre espace. Il est indispensable toutefois de favoriser un accès facile pour les soins et la cueillette. Il faut donc inclure un sentier ou d'autres moyens de rejoindre toutes les plantes.

JARDIN À LA FRANÇAISE

Pour créer ce concept, je me suis basée sur mon premier jardin, derrière une maison de ville. Malgré l'espace restreint, j'y ai inclus un banc avec un sentier le reliant à la porte de la maison et j'ai consacré tout le reste de l'espace aux plantes. Mes tournesols ont grandi plus haut que la clôture, et mes voisins en profitaient autant que ma famille. J'ai choisi les autres plantes pour leurs couleurs et leurs formes intéressantes. Il y a aussi assez d'annuelles pour permettre des changements à mesure que vous développerez vos talents et vos goûts.

Alcea rosea, rose trémière
Angelica archangelica, angélique
Borago officinalis, bourrache
Calendula officinalis, souci des jardins
Chamæmelum nobile, camomille romaine
Cichorium intybus, chicorée sauvage
Dianthus ssp. *sativa*, œillet
Eruca vesicaria ssp. *sativa*, roquette cultivée
Filipendula ulmaria, spirée ulmaire
Fœniculum vulgare, fenouil
Helianthus annuus, tournesol
Hesperis matronalis, julienne des dames
Hyssopus officinalis, hysope
Lonicera caprifolium, chèvrefeuille
Monarda didyma, monarde
Myrrhis odorata, cerfeuil musqué
Œnothera biennis, onagre bisannuelle
Pelargonium, géranium à feuilles aromatiques
Perilla frutescens var. *Crispa*, shiso
Primula vulgaris, primevère vulgaire
Robina hispida, acacia rose
Rosa gallica «Versicolor», rose Rosa mundi
Rosa «Albertine», rose grimpante
Rosmarinus officinalis, romarin
Salvia officinalis, sauge officinale
Sambucus nigra, sureau noir
Thymus vulgaris, thym
Tropæolum majus, grande capucine
Viola odorata, violette odorante

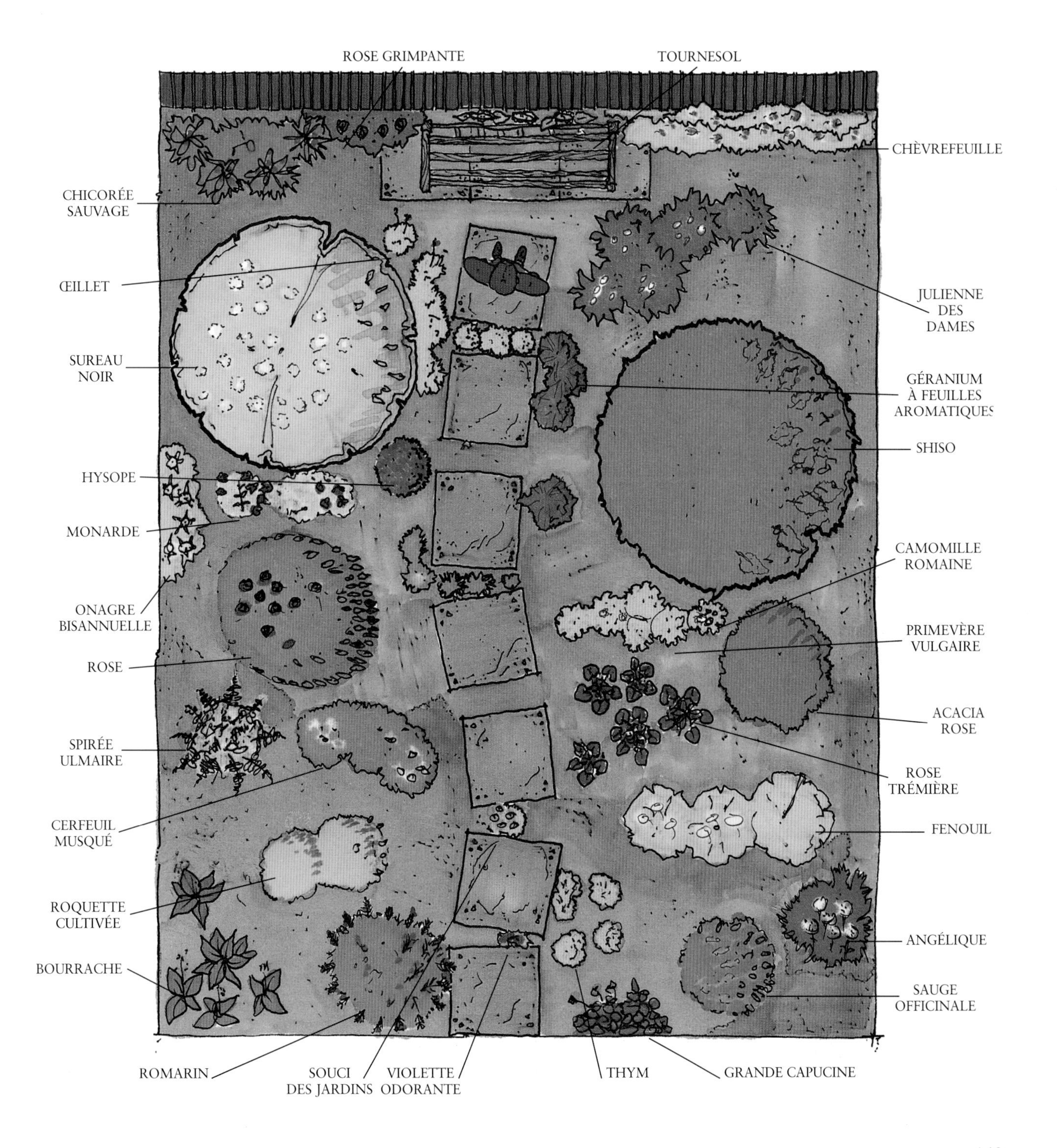
ROSE GRIMPANTE
TOURNESOL
CHÈVREFEUILLE
CHICORÉE SAUVAGE
ŒILLET
JULIENNE DES DAMES
SUREAU NOIR
GÉRANIUM À FEUILLES AROMATIQUES
SHISO
HYSOPE
MONARDE
CAMOMILLE ROMAINE
ONAGRE BISANNUELLE
PRIMEVÈRE VULGAIRE
ROSE
ACACIA ROSE
SPIRÉE ULMAIRE
ROSE TRÉMIÈRE
CERFEUIL MUSQUÉ
FENOUIL
ROQUETTE CULTIVÉE
ANGÉLIQUE
BOURRACHE
SAUGE OFFICINALE
ROMARIN
SOUCI DES JARDINS
VIOLETTE ODORANTE
THYM
GRANDE CAPUCINE

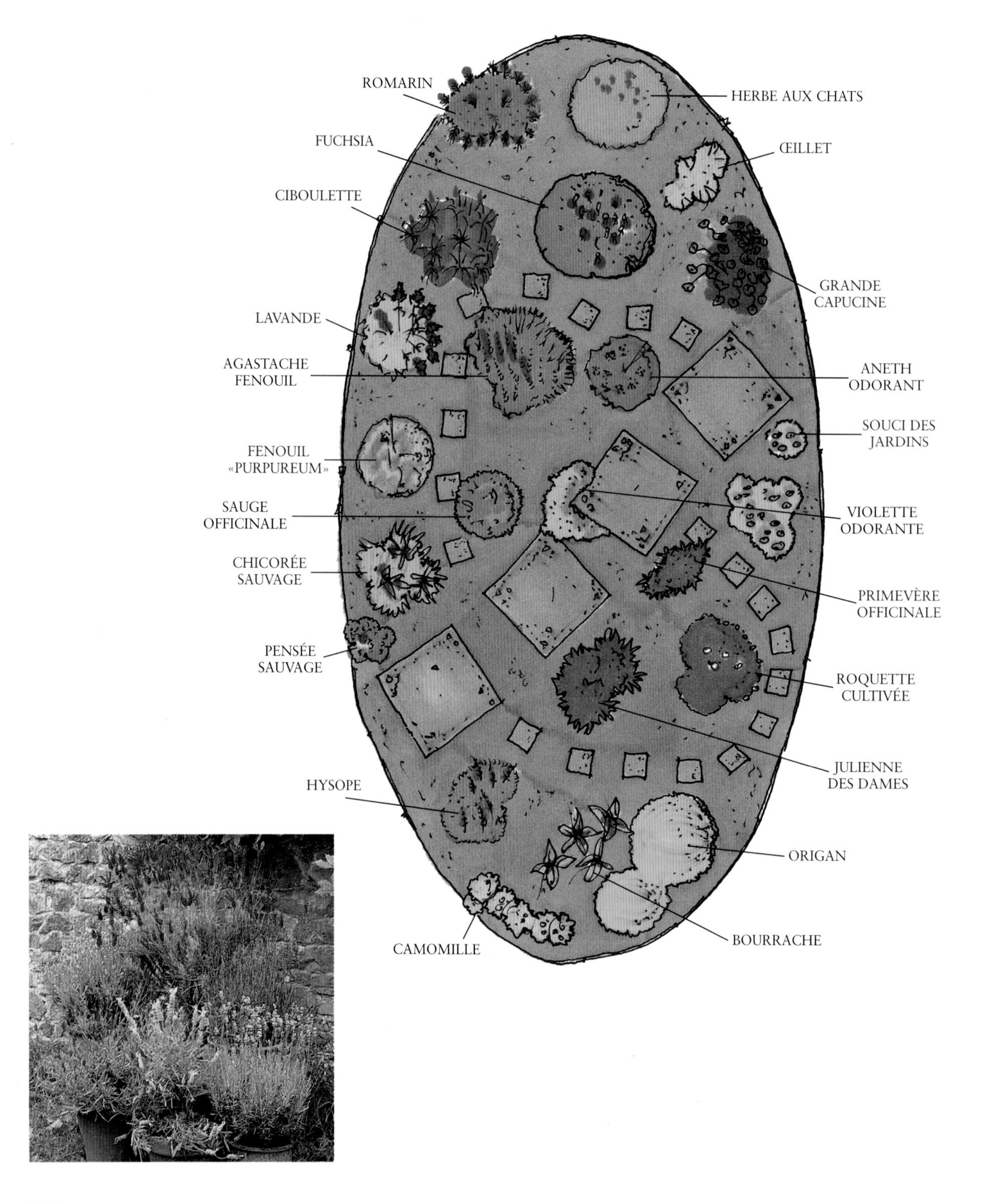
ROMARIN
HERBE AUX CHATS
FUCHSIA
ŒILLET
CIBOULETTE
GRANDE CAPUCINE
LAVANDE
AGASTACHE FENOUIL
ANETH ODORANT
SOUCI DES JARDINS
FENOUIL «PURPUREUM»
SAUGE OFFICINALE
VIOLETTE ODORANTE
CHICORÉE SAUVAGE
PRIMEVÈRE OFFICINALE
PENSÉE SAUVAGE
ROQUETTE CULTIVÉE
JULIENNE DES DAMES
HYSOPE
ORIGAN
BOURRACHE
CAMOMILLE

JARDIN À L'ANGLAISE

La forme ovale permet d'accéder facilement aux plantes, mais il est bien d'ajouter aussi quelques dalles ou pierres pour atteindre le milieu plus aisément. À maturité, les plantes offriront un éventail subtil de couleurs pour les yeux et de goûts pour le palais. Ce jardin a une tendance vers le bleu, ce qui le rend très serein. Les accents dorés des soucis et des primevères et les blancs de la camomille apportent un heureux contraste dans cette étendue bleu et mauve.

Agastache fœniculum, agastache fenouil
Allium schœnoprasum, ciboulette
Anethum graveolens, aneth odorant
Borago officinalis, bourrache
Calendula officinalis, souci des jardins
Chamæmelum nobilis, camomille romaine
Cichorium intybus, chicorée sauvage
Dianthus et ssp., œillet
Eruca vesicaria ssp. *sativa,* roquette cultivée
Fœniculum vulgare «Purpureum», fenouil «Purpureum»
Fuchsia ssp., fuchsia
Hesperis matronalis, julienne des dames
Hyssopus officinalis, hysope
Lavandula angustifolia, lavande
Nepeta x faassenii, herbe aux chats
Origanum vulgare, origan
Primula veris, primevère officinale
Rosmarinus officinalis, romarin
Salvia officinalis, sauge officinale
Tropæolum majus, grande capucine
Viola odorata, violette odorante
Viola tricolor, pensée sauvage

JARDIN DE DÉGUSTATION

C'est une de mes créations les plus amusantes: je m'y vois avec mes invités, installés à une table placée au centre des trois plates-bandes, en train de déguster un repas incluant des fleurs prises directement dans le jardin. Chaque plate-bande peut constituer un jardin en soi, ce qui peut résoudre des problèmes d'espace pour certains.

ENTRÉE

Coriandrum sativum, coriandre
Hemerocallis ssp., hémérocalle
Perilla frutescens var. *crispa rubra,* shiso violet
Tropæolum majus «Empress of India», grande capucine

PLAT PRINCIPAL

Chrysanthemum coronarium, chrysanthème couronné
Cucurbita pepo var., courgette
Monarda fistulosa, monarde
Œnothera biennis, onagre bisannuelle
Thymus vulgaris, thym

DESSERT

Angelica archangelica, angélique
Fuchsia ssp., fuchsia
Phlox paniculata «Album», phlox «Album»
Viola odorata, violette odorante
Viola tricolor, pensée sauvage

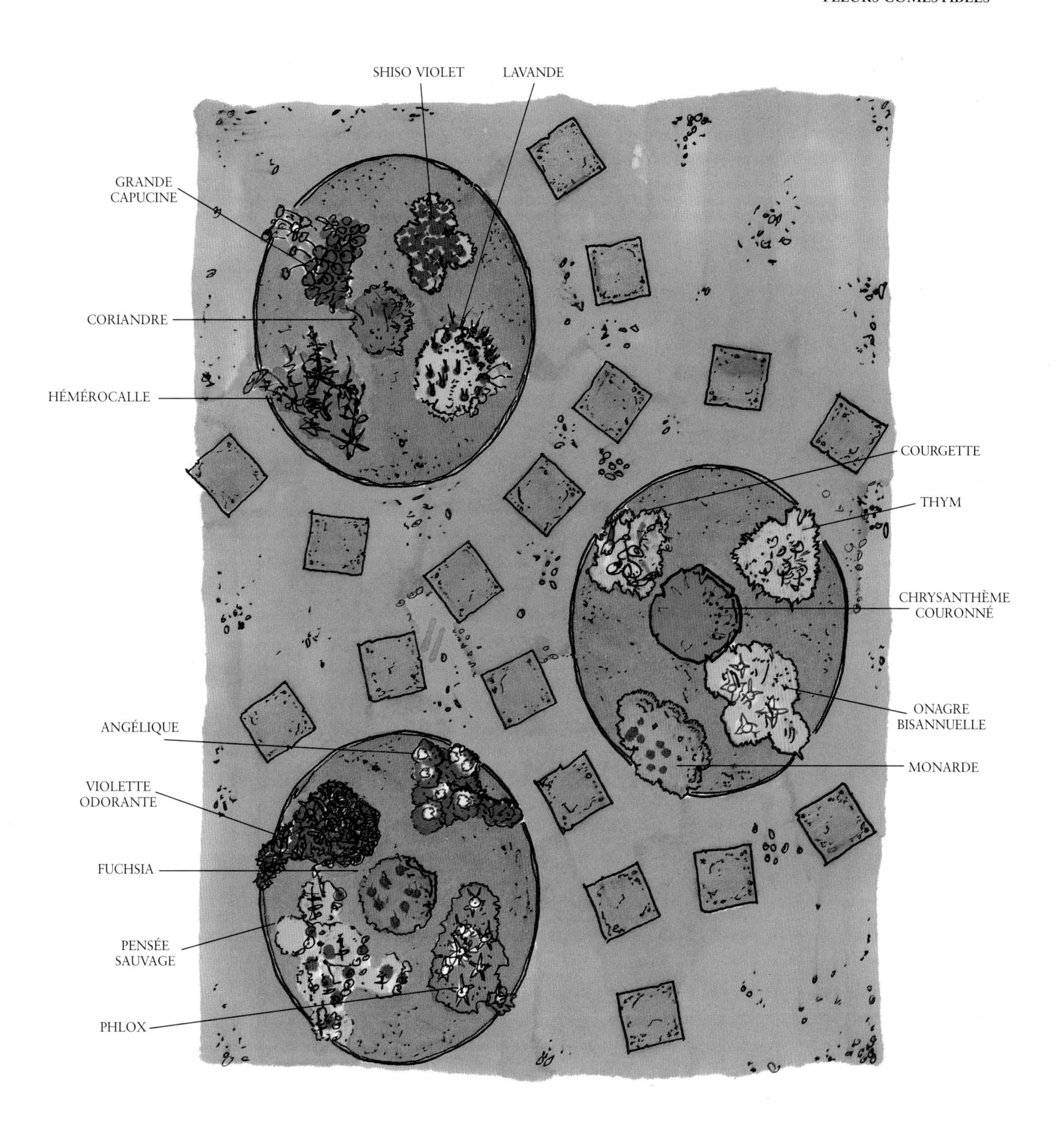
SHISO VIOLET
LAVANDE
GRANDE CAPUCINE
CORIANDRE
HÉMÉROCALLE
COURGETTE
THYM
CHRYSANTHÈME COURONNÉ
ONAGRE BISANNUELLE
MONARDE
ANGÉLIQUE
VIOLETTE ODORANTE
FUCHSIA
PENSÉE SAUVAGE
PHLOX

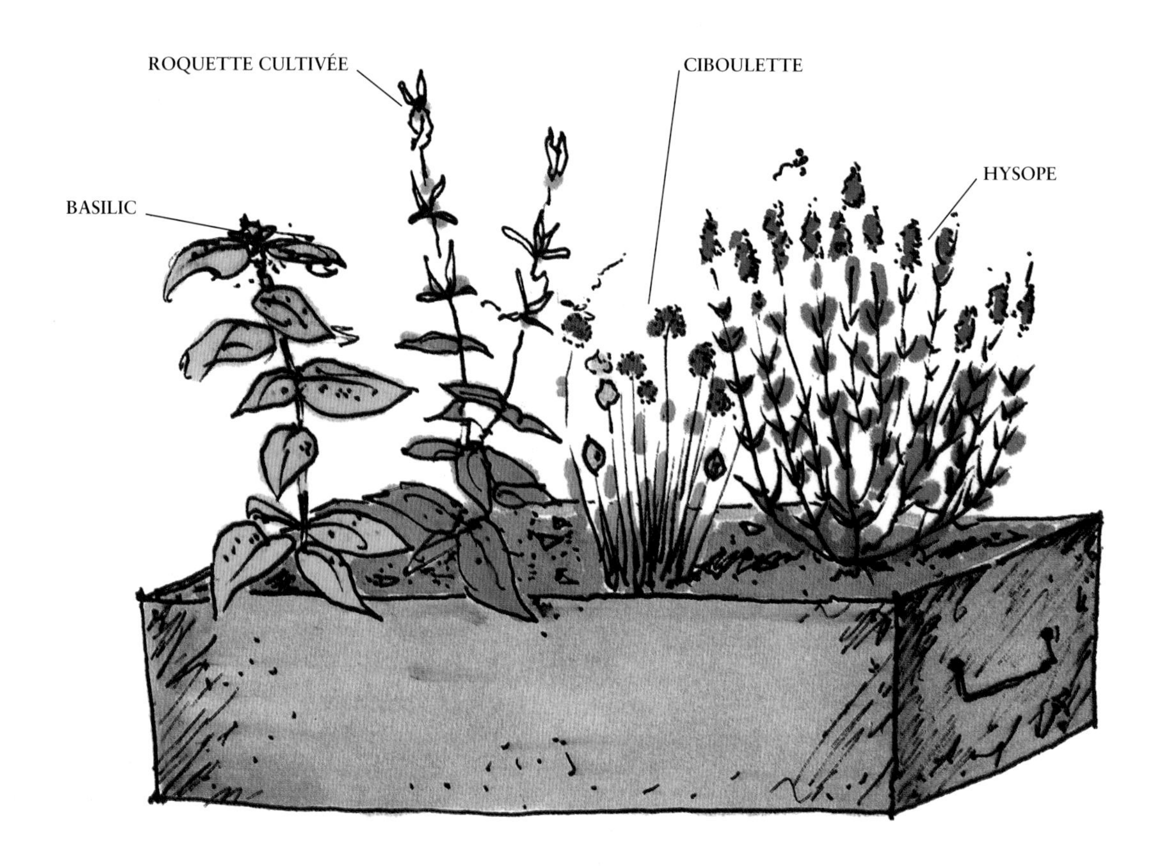

JARDIN DE FENÊTRE

Le secret pour réussir la culture des plantes en pot est l'utilisation d'un bon terreau (d'écorce, de tourbe et de sable) qui convient à la majorité des plantes. Il faut aussi bien arroser durant toute la période de croissance. Comme le pot inhibe la croissance naturelle des plantes, il faut fertiliser régulièrement au printemps et en été, surtout si vous voulez beaucoup de fleurs. Dans cette jardinière, j'ai mis:

Allium schœnoprasum, ciboulette
Eruca vesicaria ssp. *sativa,* roquette cultivée
Hyssopus officinalis, hysope
Ocimum basilicum, basilic

Il n'y a pas de restriction sur ce que vous pouvez cultiver en pot; il suffit de s'assurer que les plantes ne poussent pas trop haut, afin de résister au vent, et qu'elles n'envahissent pas l'emplacement de leurs voisines, comme la menthe, par exemple. Pour une orgie de couleurs, essayez ceci:

Calendula officinalis, souci des jardins
Helianthus «Big Smile», tournesol nain
Tropæolum majus, grande capucine

GUIDE DE DÉGUSTATION DES FLEURS

Comme pour toutes les plantes, assurez-vous que la plante et la fleur sont comestibles avant d'en manger ou de les utiliser en cuisine. Ce livre identifie les fleurs les plus communes qui peuvent être consommées. De plus, vous trouverez à la page 157 une liste des **plantes toxiques les plus communes qui ne doivent PAS être consommées.** Toutefois, sachez que cette liste n'est pas exhaustive et soyez toujours plus prudent que téméraire dans le cas des plantes dont vous n'êtes pas absolument sûr.

Vérifiez aussi que les plantes et les fleurs n'ont pas été traitées avec des produits chimiques ou des pesticides, surtout celles que vous achetez à la jardinerie ou chez le fleuriste. Rappelez-vous que les végétaux qui ne sont pas cultivés en vue de la consommation ne sont pas soumis aux règles sur les produits chimiques. En outre, ne cueillez pas de fleurs qui poussent près des routes, parce qu'elles ont été polluées par la poussière et la circulation automobile. Le mieux est d'utiliser les fleurs que vous avez cultivées vous-même; vous serez sûr qu'elles l'ont été selon des méthodes organiques.

Quand vous faites des promenades dans la nature, rappelez-vous qu'il est défendu dans plusieurs pays de cueillir des fleurs sauvages (ex.: primevères, violettes, fleurs d'onagre). Mais si vous allez dans un champ couvert de pissenlits et que vous avez envie de faire du vin de pissenlit (voir p. 124), le fermier vous permettra probablement d'en cueillir, à moins qu'il ne fasse lui-même du vin avec cette fleur!

Quelques fleurs ne sont ajoutées aux aliments que comme décoration et ne sont pas comestibles (ex.: pois de senteur (gesse), jonquille, bouton d'or (renoncule), glycine). Soyez prudent et consultez la liste ci-contre. Dans l'incertitude, il vaut mieux ne pas consommer. Si vous souffrez de fièvre des foins ou d'asthme, soyez plus circonspect. Mangez d'abord un minuscule morceau de pétale, sans traces de pollen, pour jauger votre réaction.

Vous devriez cueillir les fleurs par temps sec, quand elles sont en boutons ou qu'elles viennent d'ouvrir. Le meilleur moment est avant midi, quand la rosée a séché et que le soleil n'est pas encore assez chaud pour dégager les huiles essentielles. Les fleurs très épanouies n'ont pas autant de goût ni d'arôme. Lavez les fleurs délicatement dans l'eau froide pour les débarrasser des insectes et de la poussière, puis asséchez sur du papier absorbant. Enlevez toujours les parties vertes (tiges, sépales), les pistils et les étamines, parce que le pollen peut causer des réactions allergiques chez certaines personnes. Pour certaines fleurs (ex.: rose, œillet, souci, chrysanthème, lavande), seuls les pétales sont comestibles; pour plus d'information, consultez la fiche de chaque fleur. Quand vous n'utilisez que les pétales, séparez-les du reste de la fleur au dernier moment pour qu'ils fanent aussi peu que possible. Coupez et enlevez l'onglet blanc à la base des pétales de rose et d'œillet, parce qu'il a un goût amer.

Lorsque vous goûtez une fleur, surtout pour la première fois, ne mangez d'abord que les pétales. Procédez lentement et la saveur vous ravira... peut-être. Mais si vous ne l'aimez pas, ne vous découragez pas et essayez-en d'autres, comme la fleur de menthe, qui rafraîchit l'haleine. Avant tout, n'en consommez pas trop en dévalisant vos plates-bandes. Commencez en ne prenant que de petites quantités et n'en mettez pas partout: les fleurs ne conviennent pas à tous les plats.

FLEURS NON COMESTIBLES

Voici une liste très utile des FLEURS ET PLANTES QUI SONT TOXIQUES OU VÉNÉNEUSES. Évitez-les à tout prix. Il ne s'agit pas là d'une liste complète, mais elle regroupe les végétaux que vous risquez le plus de rencontrer. Il est donc vital de bien connaître ce qui est dans votre assiette avant de le manger.

NOMS LATINS	NOMS FRANÇAIS
Aconitum napellus	aconit napel, char de Vénus, aconit casque de Jupiter
Acorus calamus	acore calame, acore vraie
Actæa spicata	actée en épi
Aethusa cynapium	éthuse ciguë, petite ciguë
Agrostemma githago	lychnis nielle, nielle des blés
Anemone ssp.	anémone (toutes les espèces)
Aquilegia vulgaris	ancolie vulgaire, gants de Notre-Dame
Arnica montana	arnica des montagnes
Arum maculatum	arum tacheté, gonet, pied-de-veau
Atropa belladonna	belladone, herbe empoisonnée
Bryonia dioica	bryone dioïque
Buxus ssp.	buis (toutes les espèces)
Caltha palustris	populage des marais
Colchicum autumnale	colchique d'automne
Conium maculatum	ciguë tachetée, grande ciguë
Convallaria majalis	muguet de mai, lis des vallées
Digitalis purpurea	digitale pourpre
Euonymus europæus	fusain d'Europe, bonnet de prêtre, bois carré et autres espèces d'*Euonymus*
Euphorbia ssp.	euphorbe (toutes les espèces)
Hedera helix	lierre grimpant
Helleborus fœtidus	hellébore fétide, pied de griffon
Helleborus niger	hellébore noir, rose de Noël
Helleborus viridis	hellébore vert
Hyacinthus orientalis	jacinthe d'Orient
Hyoscyamus niger	jusquiame noire, potelée
Iris ssp.	iris, flambe (toutes les espèces)
Lathyrus ssp.	gesse, pois de senteur
Ligustrum vulgare	troène vulgaire
Mercurialis perennis	mercuriale vivace, chou de chien
Narcissus ssp.	narcisse (toutes les espèces)
Oenanthe crocata	œnanthe safranée, ciguë aquatique
Ornithogalum umbellatum	ornithogale en ombelle, dame d'onze heures
Prunus laurocerasus	laurier cerise
Ranunculus ssp.	bouton d'or, renoncule (toutes les espèces)
Rhododendron azalea ssp.	azalée (toutes les espèces)
Solanum tuberosum	pomme de terre, morelle tubéreuse
Vinca ssp.	pervenche (toutes les espèces)
Viscum album	gui blanc
Wisteria ssp.	glycine (toutes les espèces)

INDEX